하나님이 디자인하신
완전한 나
WORKBOOK

THE PERFECT YOU
by Dr. Caroline Leaf

Copyright © 2017 by Caroline Leaf

Originally published in English under the title of
THE PERFECT YOU by Baker Books,

a division of Baker Publishing Group,
Grand Rapids, Michigan 49516, USA
www.bakerbooks.com

Korean translation Copyright © 2018 by Pure Nard
2F 16, Eonju-ro 69-gil, Gangnam-gu 8, Seoul

The Korean edition is published by arrangement with Baker Books.
All rights reserved.

본 제작물의 한국어판 저작권은 Baker Books와의 독점 계약으로 한국어 판권은 '순전한 나드'가 소유합니다.
저작권자의 허락 없이 이 책의 일부 또는 전체를 무단 복제, 전재, 발췌하면 저작권법에 의해 처벌을 받습니다.

하나님이 디자인하신
완전한 나
WORKBOOK

초판인쇄 | 2018년 10월 26일
초판발행 | 2018년 11월 2일

지 은 이 | 캐롤라인 리프
옮 긴 이 | 김난영·심현석

펴 낸 이 | 허철
총　　괄 | 허현숙
편　　집 | 김혜진
디 자 인 | 한영애
인 쇄 소 | 예원프린팅

펴 낸 곳 | 도서출판 순전한 나드
등록번호 | 제2010-000128
주　　소 | 서울특별시 강남구 언주로69길 16, (역삼동) 2층
도서문의 | 02) 574-6702
편 집 실 | 02) 574-9702
팩　　스 | 02) 574-9704
홈페이지 | www.purenard.co.kr

Printed in Korea
ISBN 978-89-6237-240-3

(CIP제어번호 : 2018034312)
이 도서의 국립중앙도서관 출판예정도서목록(CIP)은 서지정보유통지원시스템 홈페이지(http://seoji.nl.go.kr)와 국가자료공동목록시스템(http://www..nl.go.kr/kolisnet)에서 이용하실 수 있습니다.

하나님이 디자인하신
완전한 나
WORKBOOK

캐롤라인 리프 지음 | 김난영·심현석 옮김

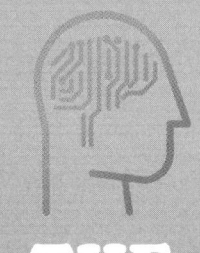

THE
PERFECT
YOU

목차

1. UQ 검사　　　　　　　　5

2. '완전한 나' 체크리스트　　151

3. 메타인지 모듈 훈련　　　157

1. UQ 검사

UQ 검사는 해당 모듈에 관한 간단한 설명으로 시작된다. 그리고 각 메타인지 모듈과 관련하여 당신만의 고유한 관점과 삶에 대한 해석이 반영된 지식을 생산하고 저장하는 방식인 '무엇을, 어떻게, 언제, 왜'(메타인지 변역)에 초점을 맞춘 심도 깊은 질문이 이어진다. 각 영역의 검사 마지막에는 당신이 쓴 답을 요약함으로써 자신을 되돌아볼 기회가 주어진다. 이것은 새로운 도전이자 발전을 위한 과정으로, '완전한 나'를 풀어내는 데 필수적이다. 이러한 과정을 거치며 당신은 자기규제를 통해 매우 높은 지적 수준과 더 깊은 단계에 이르게 될 것이다.

당신의 가능성에는 한계가 없다. 최대한 충분히 고민한 후 각 항목을 채우라. 그리고 당신 안에 펼쳐진 가능성을 보기 위해 최소 일 년에 한 번씩 검사를 다시 하라. UQ 검사를 통해 정기적으로 기록을 남겨서 '완전한 나'의 유기적인 성장을 지켜볼 것을 제안한다.

모듈 1) 내면 성찰 메타인지

첫 번째 모듈은 내면 성찰 메타인지이다. 이 영역과 관련된 뇌 조직은 깊은 사고, 의사 결정, 조직화, 집중하기, 평가하기, 자유의지 등과 관련된 정보를 다루도록 디자인되어 있다. 여기에는 자신의 감정의 흐름을 인식하고 사고와 감정을 조절하고 작동하기, 생각을 표현하는 방법 발견하기, 스스로 동기 부여하고 목적을 향해 전진하기, 독립적으로 일하기, 삶의 의미 추구하기, 계속 배우고 성장하기 위해 자기를 관리하기, 내적 경험을 이해하기 위해 시도하기, 다른 사람을 격려하고 능력을 부여하기, 전략적 사고, 저널 쓰기, 자기 평가 전략, 자신의 한계 이해하기, 상황을 평가하고 가치를 부여하기 등이 포함된다.

내면 성찰을 통해 우리는 자신을 객관적으로 보고 자신의 사고를 분석할 수 있다. 또한 정보가 들어오고 나가는 과정을 분석하면서 무엇을 생각하고 말하고 행할 것인지 결정하게 된다. 이것은 행동할 수 있는 자유의지이다.

내면 성찰 메타인지 모듈은 내면 성찰과 자각, 자신의 느낌과 생각과 직관을 이해하는 능력의 기본이 된다. 이를 통해 당신은 행동을 조절하고, 자신의 강점과 약점을 이해하며, 개념을 구체화하고 활동을 계획하여 문제를 해결할 수 있다.

1. 당신은 얼마나 자주 자신의 내면을 성찰하고 분석하는가? 어쩌면 당신은 내향적이라거나 무언가를 깊이 생각하는 편이라고 들었을지도 모른다. 내면 성찰과 관련된 표현에는 '묵상하는, 배려 깊은, 신중한, 주관적인, 수심에 잠긴, 골똘히 생각하는, 사색적인, 자기반성적인, 심사숙고하는, 몰두하는' 등이 있다. 일상 속의 당신은 어떠한지, 얼마나 자주 이런 식으로 생각하는지에 대해 구체적으로 써 보라. 예를 들어 "나는 하루 50-75퍼센트 이상 여러 가지에 대해 소가 되새김질 하듯 깊이 있게 계속해서 생각하고

또 생각하는 편이다. 내가 읽거나 들은 것이 나의 내면에 영향을 미쳐 그것에 대해 깊이 생각해 본다. 나는 자주 생각에 잠긴다" 또는 "나는 주어진 일을 완수해야 하거나 문제 해결 방법을 찾아야 할 때에만 사색적이다. 나는 자신을 평가하는 데 시간을 많이 쓰지 않는다. 아마도 하루에 한 시간 이내일 것이다"와 같은 식이다. 자신에 대해 최대한 구체적으로 답할수록 좋다.

2. 우리의 마음은 그날의 상황과 사건에 대한 감정의 흐름을 객관적으로 볼 수 있도록 디자인되었다. 하루 동안 내면에서 일어나는 감정의 변화를 얼마나 인지하는가? 그날의 상황과 사건에 따라 기분이 괜찮다가 슬퍼질 때, 짜증이 날 때, 화가 날 때, 흥분할 때, 지루할 때, 우울해질 때를 잘 알아채는 편인가? 이런 감정의 변화가 하루 동안 얼마나 자주 일어나는가? 예를 들어 "나는 일을 하거나 흥분된 상태에서만 감정의 변화를 인식한다. 극적인 상황 또는 다른 사람이 나의 감정 상태를 얘기해 줄 때만 인식한다"고 하거나 "나는 거의 항상 감정의 변화를 인식한다. 그래서 감정을 잘 조절할 수 있다"고 답할 수 있다. 아래에 최대한 구체적으로 기술하라.

3. 사람은 자신을 객관적으로 볼 수 있는 능력을 가지고 있기 때문에 자신의 생각을 관찰할 수 있다. 이것은 당신이 TV의 리얼리티 쇼를 보거나 책을 읽거나 대화를 하듯 자신을 볼 수 있다는 뜻이다. 당신이 의도적으로 이 과정에 초점을 맞춘다면, 당신의 생각이 어떻게 형성되는지 볼 수 있다. 당신은 그것을 객관적으로 평가하고 자신의 태도를 관찰할 수 있다. 이 부분에 대해 생각해 보고, 생각을 어떻게 다루고 있는지 구체적으로 설명해 보라.

4. 당신은 감정을 어떻게 조절하는가? 감정이 일어나는 대로 내버려 두는가? 아니면 감정을 억누르는가? 감정 상태를 분석하는가? 최대한 솔직하게 답하라.

5. 생각을 어떻게 통제하는가? 생각이 흘러가는 대로 두는가? 아니면 생각을 억누르는가? 그것을 종일 신중하게 분석하는가?

6. 당신이 예민하게 느끼는 것에 대해 어떻게 행동하는가? 감정을 드러내지 않고 억누르는가? 계속해서 끊임없이 그 문제에 대해 생각하는가? 그것에 대해 글로 쓰거나 그것에 대한 느낌을 말로 표현하는가? 최대한 구체적으로 묘사하라.

7. 스스로 목표를 찾고 성취할 때, 동기부여가 되는가? 그렇다면, 무엇을, 어떻게, 언제, 왜 그런지 기술하라. 그렇지 않다면, 무엇을, 어떻게, 언제,

왜 그렇지 않은지 기술하라.

_____
_____
_____

8. 남의 도움 없이 혼자 일하거나 공부하는 편인가? 그렇다면, 무엇을, 어떻게, 언제, 왜 그런지 기술하라. 그렇지 않다면, 무엇을, 어떻게, 언제, 왜 그렇지 않은지 기술하라.

_____
_____
_____

9. 당신은 인생의 의미, 당신이나 다른 사람의 믿음의 배경이 되는 철학, 문화적 배경, 사고방식에 대해 관심을 가지고 있는가? 그렇다면, 무엇을, 어떻게, 언제, 왜 그런지 기술하라. 그렇지 않다면, 무엇을, 어떻게, 언제, 왜 그렇지 않은지 기술하라.

_____
_____
_____

10. 당신의 지적 성장과 계발에 관심이 있는가? 그렇다면, 무엇을, 어떻게, 언제, 왜 그런지 기술하라. 그렇지 않다면, 무엇을, 어떻게, 언제, 왜 그렇지 않은지 기술하라.

11. 당신의 내적 경험을 이해하려고 하는 편인가? 자신의 생각에 대해 생각해 보는 시간을 자주 갖는가? 그렇다면, 무엇을, 어떻게, 언제, 왜 그런지 기술하라. 그렇지 않다면, 무엇을, 어떻게, 언제, 왜 그렇지 않은지 기술하라.

12. 다른 사람에게 권한을 부여하는 것을 좋아하는가? 그렇다면, 무엇을, 어

떻게, 언제, 왜 그런지 기술하라. 그렇지 않다면, 무엇을, 어떻게, 언제, 왜 그렇지 않은지 기술하라.

_____
_____
_____
_____

13. 다른 사람을 격려하는 것을 좋아하는가? 기분이 우울하거나 몸이 안 좋은 사람에게 도움을 주는 편인가? 그렇다면, 무엇을, 어떻게, 언제, 왜 그런지 기술하라. 그렇지 않다면, 무엇을, 어떻게, 언제, 왜 그렇지 않은지 기술하라.

_____
_____
_____
_____

14. 혼자 있는 시간을 즐기는가? 사람들과 어울리는 것보다 혼자 있는 것을 더 좋아하는가? 그렇다면, 무엇을, 어떻게, 언제, 왜 그런지 기술하라. 그렇지 않다면, 무엇을, 어떻게, 언제, 왜 그렇지 않은지 기술하라.

_____
_____

15. 무언가에 대해 깊이 통찰하는 것을 좋아하는가? 마음속으로 문제 해결 과정을 그리고 생각하는 편인가? 외부 세계에 신경 쓰지 않고 내면의 생각에 집중하는 편인가? 그렇다면, 무엇을, 어떻게, 언제, 왜 그런지 기술하라. 그렇지 않다면, 무엇을, 어떻게, 언제, 왜 그렇지 않은지 기술하라.

16. 당신이 느끼고 있는 것을 구체적으로 표현할 수 있는가? 그렇다면, 무엇을, 어떻게, 언제, 왜 그런지 기술하라. 그렇지 않다면, 무엇을, 어떻게, 언제, 왜 그렇지 않은지 기술하라.

17. 당신의 영·혼·육의 건강이 균형 잡혀 있다고 믿는가? 그렇다면, 무엇을, 어떻게, 언제, 왜 그런지 기술하라. 그렇지 않다면, 무엇을, 어떻게, 언제, 왜 그렇지 않은지 기술하라.

18. 독립적으로 일하는 것을 좋아하는가? 그렇다면, 무엇을, 어떻게, 언제, 왜 그런지 기술하라. 그렇지 않다면, 무엇을, 어떻게, 언제, 왜 그렇지 않은지 기술하라.

19. 당신은 조직적인가? 일을 시스템에 따라 체계적으로 처리하는 것을 좋아하는가? 그렇다면, 무엇을, 어떻게, 언제, 왜 그런지 기술하라. 그렇지 않다면, 무엇을, 어떻게, 언제, 왜 그렇지 않은지 기술하라.

20. 혼자 생각하는 것을 즐기는 편인가? 그렇다면, 무엇을, 어떻게, 언제, 왜 그런지 기술하라. 그렇지 않다면, 무엇을, 어떻게, 언제, 왜 그렇지 않은지 기술하라.

21. 인생의 의미, 인생이라는 주제에 대해 깊이 생각하는 편인가? 그렇다면, 무엇을, 어떻게, 언제, 왜 그런지 기술하라. 그렇지 않다면, 무엇을, 어떻게, 언제, 왜 그렇지 않은지 기술하라.

22. 다른 사람들이 지루해하더라도 당신이 진지하게 생각하는 주제를 계속

이야기하는 편인가? 그렇다면, 무엇을, 어떻게, 언제, 왜 그런지 기술하라. 그렇지 않다면, 무엇을, 어떻게, 언제, 왜 그렇지 않은지 기술하라.

23. 삶의 목적에 대해 깊이 생각하는 편인가? 당신이 이 땅에 태어난 목적에 대해 자주 생각하는가? 당신의 삶에 소망이 있다고 생각하는가? 그렇다면, 무엇을, 어떻게, 언제, 왜 그런지 기술하라. 그렇지 않다면, 무엇을, 어떻게, 언제, 왜 그렇지 않은지 기술하라.

24. 자신의 내면의 경험을 이해하고 생각하는 것이 삶의 여정에서 중요한 일인가? 그렇게 하지 못하면, 불안하고 혼란스러운가? 그렇다면, 무엇을, 어떻게, 언제, 왜 그런지 기술하라. 그렇지 않다면, 무엇을, 어떻게, 언제, 왜 그렇지 않은지 기술하라.

25. 인간의 본질, 사람과 문화의 차이, 인간의 권리에 대해 자주 생각하는 편인가? 그렇다면, 무엇을, 어떻게, 언제, 왜 그런지 기술하라. 그렇지 않다면, 무엇을, 어떻게, 언제, 왜 그렇지 않은지 기술하라. 이러한 주제에 대해 자주 생각하지 않는다면, 주로 어떤 영역에 대해 열정을 가지고 생각하는 편인가?

26. 당신의 인생을 바꾸기 원하는가? 어떤 부분을 바꾸고 싶은가? 그렇다면, 무엇을, 어떻게, 언제, 왜 그런지 기술하라. 그렇지 않다면, 무엇을, 어떻게, 언제, 왜 그렇지 않은지 기술하라. 이 문제에 대해 깊이 생각해 보고 답하라.

27. 누군가가 당신에게 조언을 요청할 때만 조언하는 편인가? 그렇다면, 무엇을, 어떻게, 언제, 왜 그런지 기술하라. 그렇지 않다면, 무엇을, 어떻게, 언제, 왜 그렇지 않은지 기술하라. 주로 언제 조언을 하는가?

28. 다른 사람의 이야기를 듣고 조언하는 것이 쉬운가? 그렇다면, 무엇을, 어떻게, 언제, 왜 그런지 기술하라. 그렇지 않다면, 무엇을, 어떻게, 언제, 왜 그렇지 않은지 기술하라.

29. 사람들과 토론할 때, 당신의 말이 적절하지 못하다고 느끼는가? 그렇다면, 무엇을, 어떻게, 언제, 왜 그런지 기술하라. 그렇지 않다면, 무엇을, 어

떻게, 언제, 왜 그렇지 않은지 기술하라.

30. 당신은 사회적·문화적·정치적·경제적 이슈에 대해 통찰력을 갖기 위해 노력하는가? 또한 이러한 주제에 대해 계속 관심을 갖고 지켜보는가? 그렇다면, 무엇을, 어떻게, 언제, 왜 그런지 기술하라. 그렇지 않다면, 무엇을, 어떻게, 언제, 왜 그렇지 않은지 기술하라. 정보와 통찰력을 갖기 위해 얼마나 시간을 투자하는가?

31. 당신의 노력에 대해 사람들이 피드백 해주는 것을 좋아하는가? 그렇다면, 무엇을, 어떻게, 언제, 왜 그런지 기술하라. 그렇지 않다면, 무엇을, 어떻게, 언제, 왜 그렇지 않은지 기술하라.

32. 대다수의 사람들이 좋아하고 선호하는 사상의 흐름과는 동떨어진 자신만의 견해를 가지고 있는가? 그렇다면, 무엇을, 어떻게, 언제, 왜 그런지 기술하라. 그렇지 않다면, 무엇을, 어떻게, 언제, 왜 그렇지 않은지 기술하라.

33. 원격 교육과 같은 자기주도 학습을 선호하는가? 그렇다면 당신이 선호하는 학습 환경에 대해 무엇을, 어떻게, 언제, 왜 좋아하는지 설명하라. 그렇지 않다면, 무엇을, 어떻게, 언제, 왜 그렇지 않은지 기술하라.

34. 당신은 자존감이 좋은 편이라고 생각하는가? 자신을 소중하게 생각하는

가? 당신에게 자존감은 무엇을 의미하는가? 그렇다면, 무엇을, 어떻게, 언제, 왜 그런지 기술하라. 그렇지 않다면, 무엇을, 어떻게, 언제, 왜 그렇지 않은지 기술하라. 자존감 향상을 위해 어떤 변화가 필요한가?

작성한 답변을 읽고, 당신의 내면 성찰 모듈은 어떤지 요약해 보라. 요약하면서 내용을 고치거나 보충하고 싶다면, 그렇게 하라. 그것은 정상적이고 바람직한 자기규제 과정이다. 요약을 한 후에는 자신이 쓴 내용에 동의하는지, 덧붙일 내용은 없는지 점검해 보라. 그리고 스스로에게 "내가 정말 이런 식으로 생각하는가? 다른 사람에게 보이기 위한 것인가, 아니면 정직하게 답한 것인가?" 자문해 보라.

사람들과 소통하고 어울리고 일상생활 능력을 향상시키기 위해 내면 성찰 메타인지를 어떻게 사용할지에 대해 쓰라. 당신은 온전히 당신 자신일 때, 더 좋아질 수 있다.

모듈 2) 대인관계 메타인지

> 다음은 사고의 대인관계적 측면과 관련된 것이다. 오늘날의 뇌 구조에 대한 이해에 따르면, 이것은 내면 성찰 모듈 바로 뒤에 나타난다. 대인관계 메타인지 모듈에는 말하기, 사회적 상호작용, 듣기, 이야기 나누기, 관계 맺기, 사랑 주고받기, 유대관계, 영향력 끼치기 등과 관련된 의사소통 능력 등이 포함된다. 우리는 대인관계적 사고를 통해 사람들을 이해하고 함께 일하며, 특별히 그들의 기분, 요구, 동기, 느낌, 경험 등에 민감하게 반응하고 공감할 수 있다. 또한 다른 사람의 기분을 파악하고 그들의 입장이 되어 봄으로써 적절하게 반응할 수 있으며, 사람들이 말과 행동이 일치하지 않음으로 신뢰감을 주지 못할 때는 경각심을 갖게 된다. 대인관계적 사고는 사람들을 관리하고 중재하는 기술과 동기를 부여하고, 이끌고, 안내하고, 상담하는 능력과도 관련이 있다.

1. 다른 사람의 필요에 대해 민감하게 느끼는 편인가? 그것을 말하지 않아도 알 수 있는가? 다른 사람의 필요를 알게 되는 것이 즐거운가? 그렇다면, 무엇을, 어떻게, 언제, 왜 그런지 기술하라. 그렇지 않다면, 무엇을, 어떻게, 언제, 왜 그렇지 않은지 기술하라.

   _____
   _____
   _____
   _____

2. 사람들과 그들의 반응에 관심을 가지는 편인가? 이 부분에 관심이 많은가? 그렇다면, 무엇을, 어떻게, 언제, 왜 그런지 기술하라. 그렇지 않다면,

무엇을, 어떻게, 언제, 왜 그렇지 않은지 기술하라. 사람들의 어떤 부분이 특별히 당신의 관심을 끄는가?

3. 당신은 다른 사람에게 공감을 잘 하는 편인가? 다른 사람의 말과 행동에 잘 맞추는 편인가? 그렇다면, 무엇을, 어떻게, 언제, 왜 그런지 기술하라. 그렇지 않다면, 당신의 공감 수준은 어느 정도인가?

4. 다른 사람의 경험이나 감정을 당신이 직접 느끼고 경험하는 것처럼 느낄 때가 많은가? 이것이 억지로 하는 것이 아니라 자연스럽게 되는가? 아니면 그렇게 되려고 애쓰고 노력해야 하는가? 그렇다면, 무엇을, 어떻게, 언제, 왜 그런지 기술하라. 그렇지 않다면, 무엇을, 어떻게, 언제, 왜 그렇지 않은지 기술하라.

5. 다른 사람에게 적절하게 반응하는 편인가? 그렇다면, 무엇을, 어떻게, 언제, 왜 그런지 기술하라. 그렇지 않다면, 무엇을, 어떻게, 언제, 왜 그렇지 않은지 기술하라. 혹시 이 부분이 당신의 문제라고 생각하는가? 아니면 그다지 큰 문제가 되지 않는가?

6. 다른 사람을 격려하고 동기부여 하는 일을 잘 하는 편인가? 그렇다면, 무엇을, 어떻게, 언제, 왜 그런지 기술하라. 그렇지 않다면, 무엇을, 어떻게, 언제, 왜 그렇지 않은지 기술하라.

7. 사람들과 상담하거나 그들에게 해답이 되는 조언을 자주 하는 편인가? 사람들이 당신에게 쉽게 마음을 열고 솔직하게 말하는가? 그렇다면, 무엇을, 어떻게, 언제, 왜 그런지 기술하라. 그렇지 않다면, 무엇을, 어떻게, 언제, 왜 그렇지 않은지 기술하라.

_____
_____
_____
_____

8. 업무적으로나 사회적으로 네트워킹_{사람들 혹은 사회학적 지위나 집단이나 조직을 연결시키는 일 – 역자 주}을 잘하는 편인가? 그렇다면, 무엇을, 어떻게, 언제, 왜 그런지 기술하라. 그렇지 않다면, 무엇을, 어떻게, 언제, 왜 그렇지 않은지 기술하라.

_____
_____
_____
_____

9. 주변에 있는 사람들을 늘 좋아하는가? 아니면 대부분 그런 편인가? 그렇다면, 무엇을, 어떻게, 언제, 왜 그런지 기술하라. 그렇지 않다면, 무엇을, 어떻게, 언제, 왜 그렇지 않은지 기술하라.

_____

10. 새로운 정보를 익힐 때, 질문을 많이 하는 편인가? 그렇다면, 무엇을, 어떻게, 언제, 왜 그런지 기술하라. 그렇지 않다면, 무엇을, 어떻게, 언제, 왜 그렇지 않은지 기술하라.

11. 사람들이 하는 말을 대부분 기억하는 편인가? 그렇다면, 무엇을, 어떻게, 언제, 왜 그런지 기술하라. 그렇지 않다면, 무엇을, 어떻게, 언제, 왜 그렇지 않은지 기술하라.

12. 다른 사람의 말을 인용해서 말하는 편인가? 그렇다면, 무엇을, 어떻게, 언제, 왜 그런지 기술하라. 그렇지 않다면, 무엇을, 어떻게, 언제, 왜 그렇지 않은지 기술하라.

_____
_____
_____
_____
_____

13. 비즈니스나 사회적 관계 속에서 협상을 잘 하는 편인가? 그렇다면, 무엇을, 어떻게, 언제, 왜 그런지 기술하라. 그렇지 않다면, 무엇을, 어떻게, 언제, 왜 그렇지 않은지 기술하라.

_____
_____
_____
_____

14. 어떤 상황에서든 사람들 사이를 화목하게 하는 사람인가? 그렇다면, 무엇을, 어떻게, 언제, 왜 그런지 기술하라. 그렇지 않다면, 무엇을, 어떻게, 언제, 왜 그렇지 않은지 기술하라.

_____

15. 사람들에게 정보를 전달할 때, 이해하기 쉽게 가르치고 설명하는 편인가? 그렇다면, 무엇을, 어떻게, 언제, 왜 그런지 기술하라. 그렇지 않다면, 무엇을, 어떻게, 언제, 왜 그렇지 않은지 기술하라.

16. 사람들에게 새로운 정보를 설명할 때, 잘 이해하고 있는지 확인하면서 진행하는 편인가? 듣는 이들의 이해 정도를 확인하면서 스스로 조절하는가? 그렇다면, 무엇을, 어떻게, 언제, 왜 그런지 기술하라. 그렇지 않다면, 무엇을, 어떻게, 언제, 왜 그렇지 않은지 기술하라.

17. 사람들에게 새로운 정보를 알려 줄 때 그들이 이해하지 못하는 경우, 이해할 수 있도록 더 쉬운 방법으로 고쳐서 말하는가? 아니면 그들이 이해하지 못하는 것을 눈치채지 못하고 계속 말하는가? 그렇다면, 무엇을, 어떻게, 언제, 왜 그런지 기술하라. 그렇지 않다면, 무엇을, 어떻게, 언제, 왜 그렇지 않은지 기술하라.

18. 사람들에 대해 참을성 있게 행동하는 편인가? 그렇다면, 무엇을, 어떻게, 언제, 왜 그런지 기술하라. 그렇지 않다면, 무엇을, 어떻게, 언제, 왜 그렇지 않은지 기술하라.

19. 다른 사람에게 새로운 아이디어를 알려 주는 것을 좋아하는가? 그렇다면, 무엇을, 어떻게, 언제, 왜 그런지 기술하라. 그렇지 않다면, 무엇을, 어떻게, 언제, 왜 그렇지 않은지 기술하라.

20. 혼자 고민해 오던 문제의 해결책을 찾았을 때, 다른 사람에게 알려 주는 편인가? 그렇다면, 무엇을, 어떻게, 언제, 왜 그런지 기술하라. 그렇지 않다면, 무엇을, 어떻게, 언제, 왜 그렇지 않은지 기술하라.

21. 친분관계를 쉽게 만드는 편인가? 그렇다면, 무엇을, 어떻게, 언제, 왜 그런지 기술하라. 그렇지 않다면, 무엇을, 어떻게, 언제, 왜 그렇지 않은지 기술하라.

22. 한 번 관계를 맺으면 오래도록 유지하는 편인가? 그렇다면, 무엇을, 어떻게, 언제, 왜 그런지 기술하라. 그렇지 않다면, 무엇을, 어떻게, 언제, 왜 그렇지 않은지 기술하라.

23. 사람마다 의사소통 방식이 다르다는 것을 인식하고 있는가? 그렇다면, 무엇을, 어떻게, 언제, 왜 그런지 기술하라. 그렇지 않다면, 무엇을, 어떻게, 언제, 왜 그렇지 않은지 기술하라.

24. 사람마다 다른 의사소통 방법을 적절하게 활용하는가? 그렇다면, 무엇을, 어떻게, 언제, 왜 그런지 기술하라. 그렇지 않다면, 무엇을, 어떻게, 언제, 왜 그렇지 않은지 기술하라.

25. 사람들에게 조언을 하거나 대화를 할 때, 자신의 방식을 고집하는 것이 아니라 그들이 이해하고 받아들일 수 있는 방식으로 맞추는 것이 쉬운가? 그렇다면, 무엇을, 어떻게, 언제, 왜 그런지 기술하라. 그렇지 않다면, 무엇을, 어떻게, 언제, 왜 그렇지 않은지 기술하라.

26. 다른 사람과 대화할 때, 그들의 생각과 느낌을 잘 알아차리는 편인가? 그렇다면, 무엇을, 어떻게, 언제, 왜 그런지 기술하라. 그렇지 않다면, 무엇을, 어떻게, 언제, 왜 그렇지 않은지 기술하라.

27. 사람들과 상담하거나 해결책을 제시하는 것이 쉬운가? 그렇다면, 무엇을, 어떻게, 언제, 왜 그런지 기술하라. 그렇지 않다면, 무엇을, 어떻게, 언제, 왜 그렇지 않은지 기술하라.

28. 사람들이 당신에게 상담을 요청하거나 조언을 구하는 편인가? 그렇다면, 무엇을, 어떻게, 언제, 왜 그런지 기술하라. 그렇지 않다면, 무엇을, 어떻게, 언제, 왜 그렇지 않은지 기술하라.

29. 다른 사람의 생각이나 행동에 영향을 주는 것을 좋아하는가? 그렇다면, 무엇을, 어떻게, 언제, 왜 그런지 기술하라. 그렇지 않다면, 무엇을, 어떻게, 언제, 왜 그렇지 않은지 기술하라.

30. 그룹 프로젝트와 같이 여러 사람들과 협력해서 일하는 것을 좋아하는가? 그렇다면, 무엇을, 어떻게, 언제, 왜 그런지 기술하라. 그렇지 않다면, 무엇을, 어떻게, 언제, 왜 그렇지 않은지 기술하라.

31. 리더에서 팀원에 이르기까지 한 공동체 안에서 다양한 역할을 수행할 수 있는가? 그렇다면, 무엇을, 어떻게, 언제, 왜 그런지 기술하라. 그렇지 않다면, 무엇을, 어떻게, 언제, 왜 그렇지 않은지 기술하라.

32. 모임에서 팀원보다 리더가 되는 것을 더 좋아하는가? 그렇다면, 무엇을,

어떻게, 언제, 왜 그런지 기술하라. 그렇지 않다면, 무엇을, 어떻게, 언제, 왜 그렇지 않은지 기술하라.

33. 사적인 대화나 모임 안에서 상대의 말과 바디 랭귀지 등을 빠르게 이해하는 편인가? 그렇다면, 무엇을, 어떻게, 언제, 왜 그런지 기술하라. 그렇지 않다면, 무엇을, 어떻게, 언제, 왜 그렇지 않은지 기술하라.

34. 부모님, 형제자매, 친인척, 친구들과 잘 지내는 편인가? 그렇다면, 무엇을, 어떻게, 언제, 왜 그런지 기술하라. 그렇지 않다면, 무엇을, 어떻게, 언제, 왜 그렇지 않은지 기술하라.

35. 언어적으로나 비언어적으로 효과적으로 소통하는 편인가? 그렇다면, 무엇을, 어떻게, 언제, 왜 그런지 기술하라. 그렇지 않다면, 무엇을, 어떻게, 언제, 왜 그렇지 않은지 기술하라.

   _____
   _____
   _____
   _____

36. 다른 모임이나 환경의 사람들과 대화하고 행동할 때, 그들에게 익숙한 방식으로 말하고 행동하는 것이 쉬운 편인가? 그렇다면, 무엇을, 어떻게, 언제, 왜 그런지 기술하라. 그렇지 않다면, 무엇을, 어떻게, 언제, 왜 그렇지 않은지 기술하라.

   _____
   _____
   _____
   _____

37. 당신의 의견이나 행동에 대한 다른 사람의 피드백을 잘 받아들이고 인정

하는 편인가? 그렇다면, 무엇을, 어떻게, 언제, 왜 그런지 기술하라. 그렇지 않다면, 무엇을, 어떻게, 언제, 왜 그렇지 않은지 기술하라.

38. 끊임없는 대화를 통해 결국 원하는 협상을 이루어 내는가? 그렇다면, 무엇을, 어떻게, 언제, 왜 그런지 기술하라. 그렇지 않다면, 무엇을, 어떻게, 언제, 왜 그렇지 않은지 기술하라.

39. 사람들에게 조언과 도움을 주는 멘토나 코치의 역할을 좋아하는 편인가? 그렇다면, 무엇을, 어떻게, 언제, 왜 그런지 기술하라. 그렇지 않다면, 무엇을, 어떻게, 언제, 왜 그렇지 않은지 기술하라.

40. 공동체 안에서 각자 역할을 잘 감당하도록 조직을 구성하는 일을 잘 하는가? 그렇다면, 무엇을, 어떻게, 언제, 왜 그런지 기술하라. 그렇지 않다면, 무엇을, 어떻게, 언제, 왜 그렇지 않은지 기술하라.

41. 다양한 연령대와 삶의 배경이 다른 사람들과도 일을 잘할 수 있는가? 그렇다면, 무엇을, 어떻게, 언제, 왜 그런지 기술하라. 그렇지 않다면, 무엇을, 어떻게, 언제, 왜 그렇지 않은지 기술하라.

42. 당신은 비전을 나누는 좋은 리더인가? 그렇다면, 무엇을, 어떻게, 언제, 왜 그런지 기술하라. 그렇지 않다면, 무엇을, 어떻게, 언제, 왜 그렇지 않

은지 기술하라.

43. 사람들이 행동 계획을 세우거나 실천할 수 있도록 잘 이끌어 가는 편인가? 그렇다면, 무엇을, 어떻게, 언제, 왜 그런지 기술하라. 그렇지 않다면, 무엇을, 어떻게, 언제, 왜 그렇지 않은지 기술하라.

44. 어떤 문제에 대해 논쟁을 잘 하는가? 그렇다면, 무엇을, 어떻게, 언제, 왜 그런지 기술하라. 그렇지 않다면, 무엇을, 어떻게, 언제, 왜 그렇지 않은지 기술하라.

45. 집중을 잘 하는 편인가? 그렇다면, 무엇을, 어떻게, 언제, 왜 그런지 기술하라. 그렇지 않다면, 무엇을, 어떻게, 언제, 왜 그렇지 않은지 기술하라.

46. 누군가가 필요로 하는 존재가 되기를 원하는가? 그렇다면, 무엇을, 어떻게, 언제, 왜 그런지 기술하라. 그렇지 않다면, 무엇을, 어떻게, 언제, 왜 그렇지 않은지 기술하라.

47. 갈등 상황을 잘 조정하는가? 그렇다면, 무엇을, 어떻게, 언제, 왜 그런지 기술하라. 그렇지 않다면, 무엇을, 어떻게, 언제, 왜 그렇지 않은지 기술하라.

48. 문제의 해결책을 잘 찾는 편인가? 그렇다면, 무엇을, 어떻게, 언제, 왜 그런지 기술하라. 그렇지 않다면, 무엇을, 어떻게, 언제, 왜 그렇지 않은지 기술하라.

49. 다양한 주제에 대해 다양한 관점을 공유하고 토론하는 것을 좋아하는가? 그렇다면, 무엇을, 어떻게, 언제, 왜 그런지 기술하라. 그렇지 않다면, 무엇을, 어떻게, 언제, 왜 그렇지 않은지 기술하라.

50. 특정 주제에 대한 다양한 관점을 듣는 것을 좋아하는가? 그렇다면, 무엇을, 어떻게, 언제, 왜 그런지 기술하라. 그렇지 않다면, 무엇을, 어떻게, 언제, 왜 그렇지 않은지 기술하라.

작성한 답변을 읽고, 당신의 대인관계 모듈은 어떤지 요약해 보라. 요약하면서 내용을 고치거나 보충하고 싶다면, 그렇게 하라. 그것은 정상적이고 바람직한 자기규제 과정이다. 요약을 한 후에는 자신이 쓴 내용에 동의하는지, 덧붙일 내용은 없는지 점검해 보라. 그리고 스스로에게 "내가 정말 이런 식으로 생각하는가? 다른 사람에게 보이기 위한 것인가, 아니면 정직하게 답한 것인가?" 자문해 보라.

사람들과 소통하고 어울리고 일상생활 능력을 향상시키기 위해 대인관계 메타인지를 어떻게 사용할지에 대해 쓰라. 당신은 온전히 당신 자신일 때, 더 좋아질 수 있다.

모듈 3) 언어 메타인지

언어 메타인지는 말하기, 듣기, 쓰기, 읽기 등의 언어와 관련된 연산능력을 다룬다. 말과 소리, 리듬의 의미와 언어의 다양한 쓰임에 대한 감각을 다루는 이 모듈은 뇌의 중앙에 나타난다. 언어와 관련된 감각은 '명료하다, 언어적 사고 능력이 있다, 주장과 설득하고자 하는 바를 말하고 쓰는 데 있어서 언어를 효과적으로 다루는 능력이 있다' 등과 같이 다양하게 표현된다. 따라서 사고의 언어적 측면은 개인이 말하고 쓰고 표현하고 읽은 언어들에 반응한다.

언어를 구성하는 변역은 그것의 구조와 사용을 포함한다.

- 의미론: 단어의 의미 또는 함축
- 음운론: 단어의 소리와 그것들의 상호작용
- 통사론: '문장에는 반드시 동사가 있어야 한다'와 같이 이해할 수 있는 문장을 만드는 데 단어가 사용되는 질서와 규칙
- 화용론: 효과적으로 소통하기 위해 언어를 사용하는 방법

이 모든 것이 언어 메타인지 모듈에 나타난다.

1. 단어들과 그 단어들이 갖는 의미에 관심이 많은 편인가? 그렇다면, 무엇을, 어떻게, 언제, 왜 그런지 기술하라. 그렇지 않다면, 무엇을, 어떻게, 언제, 왜 그렇지 않은지 기술하라.

   ....
   ....
   ....
   ....

2. 온라인이나 책을 통해 정보를 찾는 편인가? 그렇다면, 무엇을, 어떻게, 언제, 왜 그런지 기술하라. 그렇지 않다면, 무엇을, 어떻게, 언제, 왜 그렇지 않은지 기술하라.

3. 전화로 말하는 것보다 메일이나 문자 메시지로 소통하는 것을 더 좋아하는가? 그렇다면, 무엇을, 어떻게, 언제, 왜 그런지 기술하라. 그렇지 않다면, 무엇을, 어떻게, 언제, 왜 그렇지 않은지 기술하라.

4. 효과적인 소통을 위해 언어를 유창하게 구사하는가? 그렇다면, 무엇을, 어떻게, 언제, 왜 그런지 기술하라. 그렇지 않다면, 무엇을, 어떻게, 언제, 왜 그렇지 않은지 기술하라.

5. 자신에 대해 말로 표현하고 싶어 하는 편인가? 그렇다면, 무엇을, 어떻게, 언제, 왜 그런지 기술하라. 그렇지 않다면, 무엇을, 어떻게, 언제, 왜 그렇지 않은지 기술하라.

6. 자신에 대해 글로 표현하고 싶어 하는 편인가? 그렇다면, 무엇을, 어떻게, 언제, 왜 그런지 기술하라. 그렇지 않다면, 무엇을, 어떻게, 언제, 왜 그렇지 않은지 기술하라.

7. 자신에 대해 말과 글을 모두 활용하여 표현하고 싶어 하는가? 그렇다면, 무엇을, 어떻게, 언제, 왜 그런지 기술하라. 그렇지 않다면, 무엇을, 어떻게, 언제, 왜 그렇지 않은지 기술하라.

   _____
   _____
   _____
   _____

8. 토론하는 것을 즐기는가? 그렇다면, 무엇을, 어떻게, 언제, 왜 그런지 기술하라. 그렇지 않다면, 무엇을, 어떻게, 언제, 왜 그렇지 않은지 기술하라.

   _____
   _____
   _____
   _____

9. 다른 사람들의 견해, 의견을 바꾸도록 설득하는 것을 좋아하는가? 그렇다면, 무엇을, 어떻게, 언제, 왜 그런지 기술하라. 그렇지 않다면, 무엇을, 어떻게, 언제, 왜 그렇지 않은지 기술하라.

   _____
   _____
   _____
   _____

10. 사람들을 선도하는 것을 좋아하는가? 그렇다면, 무엇을, 어떻게, 언제, 왜 그런지 기술하라. 그렇지 않다면, 무엇을, 어떻게, 언제, 왜 그렇지 않은지 기술하라.

11. 농담이나 말장난으로 사람들을 웃기는 것을 좋아하는가? 그렇다면, 무엇을, 어떻게, 언제, 왜 그런지 기술하라. 그렇지 않다면, 무엇을, 어떻게, 언제, 왜 그렇지 않은지 기술하라.

12. 독서를 좋아하는가? 그렇다면, 무엇을, 어떻게, 언제, 왜 그런지 기술하라. 그렇지 않다면, 무엇을, 어떻게, 언제, 왜 그렇지 않은지 기술하라.

13. 책을 많이 읽는 편인가? 그렇다면, 무엇을, 어떻게, 언제, 왜 그런지 기술하라. 그렇지 않다면, 무엇을, 어떻게, 언제, 왜 그렇지 않은지 기술하라.

14. 다양한 종류의 책을 읽는가? 어떤 종류의 책을 주로 읽는가? 그렇다면, 무엇을, 어떻게, 언제, 왜 그런지 기술하라. 그렇지 않다면, 무엇을, 어떻게, 언제, 왜 그렇지 않은지 기술하라.

15. 글 쓰는 것을 좋아하는가? 그렇다면, 무엇을, 어떻게, 언제, 왜 그런지 기술하라. 그렇지 않다면, 무엇을, 어떻게, 언제, 왜 그렇지 않은지 기술하라.

16. 이야기 들려 주는 것을 좋아하는가? 그렇다면, 무엇을, 어떻게, 언제, 왜 그런지 기술하라. 그렇지 않다면, 무엇을, 어떻게, 언제, 왜 그렇지 않은지 기술하라.

17. 이야기 쓰는 것을 좋아하는가? 그렇다면, 무엇을, 어떻게, 언제, 왜 그런지 기술하라. 그렇지 않다면, 무엇을, 어떻게, 언제, 왜 그렇지 않은지 기술하라.

18. 생활에 유용한 상식을 많이 알고 있는가? 그렇다면, 무엇을, 어떻게, 언제, 왜 그런지 기술하라. 그렇지 않다면, 무엇을, 어떻게, 언제, 왜 그렇지 않은지 기술하라.

19. 질문을 많이 하는 편인가? 그렇다면, 무엇을, 어떻게, 언제, 왜 그런지 기술하라. 그렇지 않다면, 무엇을, 어떻게, 언제, 왜 그렇지 않은지 기술하라.

20. 자신에 대한 물음에 대해 스스로 묻고 답하는 편인가? 그렇다면, 무엇을, 어떻게, 언제, 왜 그런지 기술하라. 그렇지 않다면, 무엇을, 어떻게, 언제, 왜 그렇지 않은지 기술하라.

21. 무언가를 설명할 때, 상대가 이해하기 쉽게 예화나 이야기를 잘 사용하는 편인가? 그렇다면, 무엇을, 어떻게, 언제, 왜 그런지 기술하라. 그렇지 않다면, 무엇을, 어떻게, 언제, 왜 그렇지 않은지 기술하라.

22. 대화 중에 토론하는 것을 즐기는가? 그렇다면, 무엇을, 어떻게, 언제, 왜 그런지 기술하라. 그렇지 않다면, 무엇을, 어떻게, 언제, 왜 그렇지 않은지 기술하라.

23. 시, 소설, 신화, 논문, 기사 쓰기를 좋아하는가? 특별히 어떤 유형의 글을 쓰는 편인가? 그렇다면, 무엇을, 어떻게, 언제, 왜 그런지 기술하라. 그렇지 않다면, 무엇을, 어떻게, 언제, 왜 그렇지 않은지 기술하라.

24. 시나 희곡을 쓰고 싶은 마음이 있는가? 그렇다면, 무엇을, 어떻게, 언제, 왜 그런지 기술하라. 그렇지 않다면, 무엇을, 어떻게, 언제, 왜 그렇지 않은지 기술하라.

25. 어떤 상황을 설명할 때, 자세히 묘사하는 편인가? 그렇다면, 무엇을, 어떻게, 언제, 왜 그런지 기술하라. 그렇지 않다면, 무엇을, 어떻게, 언제, 왜 그렇지 않은지 기술하라.

26. 발표, 프레젠테이션을 좋아하는가? 그렇다면, 무엇을, 어떻게, 언제, 왜 그런지 기술하라. 그렇지 않다면, 무엇을, 어떻게, 언제, 왜 그렇지 않은지 기술하라.

27. 토론 진행을 좋아하는가? 그렇다면, 무엇을, 어떻게, 언제, 왜 그런지 기술하라. 그렇지 않다면, 무엇을, 어떻게, 언제, 왜 그렇지 않은지 기술하라.

28. 관심 있거나 생각하고 있는 내용에 대해 지속적으로 글을 쓰는가? 그렇다면, 무엇을, 어떻게, 언제, 왜 그런지 기술하라. 그렇지 않다면, 무엇을,

어떻게, 언제, 왜 그렇지 않은지 기술하라.

29. 라디오나 팟 캐스트, TV 프로그램용 토크쇼를 만들고 싶은 마음이 있는가? 그렇다면, 무엇을, 어떻게, 언제, 왜 그런지 기술하라. 그렇지 않다면, 무엇을, 어떻게, 언제, 왜 그렇지 않은지 기술하라.

30. 소식지나 블로그 쓰는 것을 좋아하는가? 그렇다면, 무엇을, 어떻게, 언제, 왜 그런지 기술하라. 그렇지 않다면, 무엇을, 어떻게, 언제, 왜 그렇지 않은지 기술하라.

31. 언어 능력을 높이기 위해 백과사전, 용어 색인 사전, 유의어 사전 사용을 즐기는 편인가? 그렇다면, 무엇을, 어떻게, 언제, 왜 그런지 기술하라. 그렇지 않다면, 무엇을, 어떻게, 언제, 왜 그렇지 않은지 기술하라.

32. 구호나 격언 만드는 것을 좋아하는가? 좋은 문구나 격언을 잘 활용하는가? 그렇다면, 무엇을, 어떻게, 언제, 왜 그런지 기술하라. 그렇지 않다면, 무엇을, 어떻게, 언제, 왜 그렇지 않은지 기술하라.

33. 인터뷰 진행하는 것을 좋아하거나 관심이 있는가? 그렇다면, 무엇을, 어떻게, 언제, 왜 그런지 기술하라. 그렇지 않다면, 무엇을, 어떻게, 언제, 왜 그렇지 않은지 기술하라.

34. 이메일이나 문자 메시지를 많이 사용하는가? 아니면 편지를 자주 하는가? 사람들과 소통할 때, 이러한 방식을 더 좋아하는가? 그렇다면, 무엇을, 어떻게, 언제, 왜 그런지 기술하라. 그렇지 않다면, 무엇을, 어떻게, 언제, 왜 그렇지 않은지 기술하라.

35. 소설이나 긴 이야기 쓰는 것을 좋아하거나 관심이 있는가? 그렇다면, 무엇을, 어떻게, 언제, 왜 그런지 기술하라. 그렇지 않다면, 무엇을, 어떻게, 언제, 왜 그렇지 않은지 기술하라.

36. 항상 할 말이 준비되어 있거나 말하는 것을 좋아하는가? 그렇다면, 무엇을, 어떻게, 언제, 왜 그런지 기술하라. 그렇지 않다면, 무엇을, 어떻게, 언제, 왜 그렇지 않은지 기술하라.

_____
_____
_____
_____
_____

37. 책이나 읽을거리가 당신에게 매우 중요한가? 그렇다면, 무엇을, 어떻게, 언제, 왜 그런지 기술하라. 그렇지 않다면, 무엇을, 어떻게, 언제, 왜 그렇지 않은지 기술하라.

_____
_____
_____
_____
_____

38. 누군가에게 말을 하거나 책을 읽거나 글을 쓰기 전에 머릿속에 단어들이 떠오르는가? 그렇다면, 무엇을, 어떻게, 언제, 왜 그런지 기술하라. 그렇지 않다면, 무엇을, 어떻게, 언제, 왜 그렇지 않은지 기술하라.

39. 누군가의 말을 듣고 있거나 누언가를 보고 있는데 머릿속에서 단어가 떠오른 적이 있는가? 예를 들어서 고양이를 생각하고 있는데 실제 고양이가 보인다든지, 고양이라는 단어가 떠오르는 경우 말이다. 그렇다면, 무엇을, 어떻게, 언제, 왜 그런지 기술하라. 그렇지 않다면, 무엇을, 어떻게, 언제, 왜 그렇지 않은지 기술하라.

40. TV를 보는 것보다 라디오, 오디오 북 같이 귀로 듣는 것을 더 좋아하는가? 그렇다면, 무엇을, 어떻게, 언제, 왜 그런지 기술하라. 그렇지 않다면, 무엇을, 어떻게, 언제, 왜 그렇지 않은지 기술하라.

41. 글자 만들기 게임을 좋아하는가? 그렇다면, 무엇을, 어떻게, 언제, 왜 그런지 기술하라. 그렇지 않다면, 무엇을, 어떻게, 언제, 왜 그렇지 않은지 기술하라.

42. 발음하기 힘든 구절을 빨리 말하는 게임이나 절대음감, 끝말잇기 같은 게임을 즐기는 편인가? 그렇다면, 무엇을, 어떻게, 언제, 왜 그런지 기술하라. 그렇지 않다면, 무엇을, 어떻게, 언제, 왜 그렇지 않은지 기술하라.

43. 복잡한 단어나 긴 문장 사용을 선호하는가? 그렇다면, 무엇을, 어떻게, 언제, 왜 그런지 기술하라. 그렇지 않다면, 무엇을, 어떻게, 언제, 왜 그렇

지 않은지 기술하라.

_____
_____
_____
_____

44. 차를 타고 가다가 밖을 볼 때, 바깥 풍경보다 간판이나 이정표 같이 글로 쓰인 것 보는 것을 더 좋아하는가? 아니면 둘 다 좋아하는가? 그렇다면, 무엇을, 어떻게, 언제, 왜 그런지 기술하라. 그렇지 않다면, 무엇을, 어떻게, 언제, 왜 그렇지 않은지 기술하라.

_____
_____
_____
_____

45. 수학, 과학, 공학보다 역사, 문학, 언어 영역을 더 좋아하는가? 그렇다면, 무엇을, 어떻게, 언제, 왜 그런지 기술하라. 그렇지 않다면, 무엇을, 어떻게, 언제, 왜 그렇지 않은지 기술하라.

_____
_____
_____

46. 대화를 할 때, 당신이 읽거나 들은 것을 언급하는 편인가? 그렇다면, 무엇을, 어떻게, 언제, 왜 그런지 기술하라. 그렇지 않다면, 무엇을, 어떻게, 언제, 왜 그렇지 않은지 기술하라.

　

　

　

　

47. 말을 잘하는 편인가? 다시 말해서 주제나 이슈를 이야기할 때, 지적으로 분명하게 말하는 편인가? 그렇다면, 무엇을, 어떻게, 언제, 왜 그런지 기술하라. 그렇지 않다면, 무엇을, 어떻게, 언제, 왜 그렇지 않은지 기술하라.

　

　

　

　

48. 교회나 학교 같은 곳에서 새로운 내용을 배울 때, 질문을 많이 하는 편인가? 그렇다면, 무엇을, 어떻게, 언제, 왜 그런지 기술하라. 그렇지 않다면,

무엇을, 어떻게, 언제, 왜 그렇지 않은지 기술하라.

49. 문법 배우는 것을 좋아하는가? 그렇다면, 무엇을, 어떻게, 언제, 왜 그런지 기술하라. 그렇지 않다면, 무엇을, 어떻게, 언제, 왜 그렇지 않은지 기술하라.

50. 새 단어를 배워서 사용하는 것을 좋아하는가? 그렇다면, 무엇을, 어떻게, 언제, 왜 그런지 기술하라. 그렇지 않다면, 무엇을, 어떻게, 언제, 왜 그렇지 않은지 기술하라.

작성한 답변을 읽고, 당신의 언어 모듈은 어떤지 요약해 보라. 요약하면서 내용을 고치거나 보충하고 싶다면, 그렇게 하라. 그것은 정상적이고 바람직한 자기규제 과정이다. 요약을 한 후에는 자신이 쓴 내용에 동의하는지, 덧붙일 내용은 없는지 점검해 보라. 그리고 스스로에게 "내가 정말 이런 식으로 생각하는가? 다른 사람에게 보이기 위한 것인가, 아니면 정직하게 답한 것인가?" 자문해 보라.

사람들과 소통하고 어울리고 일상생활 능력을 향상시키기 위해 언어 메타인지를 어떻게 사용할지에 대해 쓰라. 당신은 온전히 당신 자신일 때, 더 좋아질 수 있다.

모듈 4) 논리 · 수학 메타인지

이번에는 과학적 추론 능력, 논리력, 분석력 등을 다루는 논리 · 수학 메타인지 모듈이다. 이러한 유형의 사고에는 연결시스템의 기본원칙에 대한 이해 능력, 논리적 · 수리적 유형 인식 능력, 복잡한 문제를 정확한 방식으로 추론하는 능력, 단어 · 숫자 · 수량을 능숙하게 다루는 능력, 사물의 본질을 파악하는 능력, 계산 능력, 수량화 능력, 논리적 추론 능력, 상상력, 이론화 능력, 모순적이거나 일관성 없는 논리를 분별하는 능력, 문제를 인식하고 해결하는 능력 등이 포함된다.
또한 이러한 사고에는 전략을 세우는 능력, 암산 능력, 인생의 논리나 논리적인 문제와 방정식을 다루는 능력, 선다형 문제와 표준화된 테스트에 자주 나오는 문제 유형을 푸는 능력이 포함된다.

1. 하나님께서 모든 것을 만드셨으며, 과학은 하나님이 만드신 만물을 설명하는 학문이다. 또한 인간과 하나님의 창조물들이 어떻게 살아가야 하는지, 그 원리를 이해하도록 돕는 학문이다. 과학이 무엇인지 이해했는가? 지구과학, 신경과학, 의료과학, 공학, 예술과학, 컴퓨터과학, 기술과학, 지질학, 음악, 교직, 철학, 다양한 교양 과목 중 흥미를 느끼는 것이 있는가? 그렇다면, 무엇을, 어떻게, 언제, 왜 그런지 기술하라. 그렇지 않다면, 무엇을, 어떻게, 언제, 왜 그렇지 않은지 기술하라.

....
....
....
....

2. 우주와 의식과 삶이 작동하는 방식에 대해 관심이 있는가? 그렇다면, 무엇을, 어떻게, 언제, 왜 그런지 기술하라. 그렇지 않다면, 무엇을, 어떻게, 언제, 왜 그렇지 않은지 기술하라.

   _____
   _____
   _____
   _____
   _____

3. 사물이 작동하는 기본 원리에 대해 깨닫는 것을 좋아하는가? 그렇다면, 무엇을, 어떻게, 언제, 왜 그런지 기술하라. 그렇지 않다면, 무엇을, 어떻게, 언제, 왜 그렇지 않은지 기술하라.

   _____
   _____
   _____
   _____
   _____

4. 논리적인 것을 좋아하는가? 주변의 세계 속에서 논리적인 유형을 발견하는 것을 좋아하는가? 그렇다면, 무엇을, 어떻게, 언제, 왜 그런지 기술하라. 그렇지 않다면, 무엇을, 어떻게, 언제, 왜 그렇지 않은지 기술하라.

   _____
   _____

....
....
....

5. 어떤 사실과 관련하여 과정과 방법에 대해 질문을 던지는 편인가? 그렇다면, 무엇을, 어떻게, 언제, 왜 그런지 기술하라. 그렇지 않다면, 무엇을, 어떻게, 언제, 왜 그렇지 않은지 기술하라.

....
....
....
....

6. 일상에서 접하는 모든 물건을 포함하여 매일의 삶 속에서 질서와 의미를 발견하는가? 그렇다면, 무엇을, 어떻게, 언제, 왜 그런지 기술하라. 그렇지 않다면, 무엇을, 어떻게, 언제, 왜 그렇지 않은지 기술하라.

....
....
....
....

7. 이해가 되어야만 받아들이는 성향인가? 논리적으로 이해되지 않을 때, 스

트레스를 받는가? 그렇다면, 무엇을, 어떻게, 언제, 왜 그런지 기술하라. 그렇지 않다면, 무엇을, 어떻게, 언제, 왜 그렇지 않은지 기술하라.

8. 일상생활 속에서 모든 사물, 상황 가운데 숨어 있는 숫자로 나타나는 패턴이 보이는가? 그렇다면, 무엇을, 어떻게, 언제, 왜 그런지 기술하라. 그렇지 않다면, 무엇을, 어떻게, 언제, 왜 그렇지 않은지 기술하라.

9. 살면서 당신이 해야 할 일에 대하여 이해될 때까지 깊이 추론하는 편인가? 그렇다면, 무엇을, 어떻게, 언제, 왜 그런지 기술하라. 그렇지 않다면, 무엇을, 어떻게, 언제, 왜 그렇지 않은지 기술하라.

10. 무언가를 이해하기 위해 길거나 짧게 추론하는 편인가? 그렇다면, 무엇을, 어떻게, 언제, 왜 그런지 기술하라. 그렇지 않다면, 무엇을, 어떻게, 언제, 왜 그렇지 않은지 기술하라.

11. 수학 방정식이나 통계 방정식을 잘 하는가? 그렇다면, 무엇을, 어떻게, 언제, 왜 그런지 기술하라. 그렇지 않다면, 무엇을, 어떻게, 언제, 왜 그렇지 않은지 기술하라.

12. 기하학적 사고에 익숙한 편인가? 그렇다면, 무엇을, 어떻게, 언제, 왜 그런지 기술하라. 그렇지 않다면, 무엇을, 어떻게, 언제, 왜 그렇지 않은지

기술하라.

13. 시간 관리를 잘하는 편인가? 그렇다면, 무엇을, 어떻게, 언제, 왜 그런지 기술하라. 그렇지 않다면, 무엇을, 어떻게, 언제, 왜 그렇지 않은지 기술하라.

14. 과학적 개념을 잘 이해하는 편인가? 그렇다면, 무엇을, 어떻게, 언제, 왜 그런지 기술하라. 그렇지 않다면, 무엇을, 어떻게, 언제, 왜 그렇지 않은지 기술하라.

15. 어떤 상황이나 문제, 주제를 볼 때, 전체적으로 보면서도 아주 작은 부분까지도 볼 수 있는 유연함이 있는가? 그렇다면, 무엇을, 어떻게, 언제, 왜 그런지 기술하라. 그렇지 않다면, 무엇을, 어떻게, 언제, 왜 그렇지 않은지 기술하라.

_____
_____
_____
_____

16. 상황이나 문제가 이해될 때까지 다각도로 깊이 생각하는 편인가? 그렇다면, 무엇을, 어떻게, 언제, 왜 그런지 기술하라. 그렇지 않다면, 무엇을, 어떻게, 언제, 왜 그렇지 않은지 기술하라.

_____
_____
_____
_____

17. 평소에 생각하는 훈련을 하는가? 그렇다면, 무엇을, 어떻게, 언제, 왜 그런지 기술하라. 그렇지 않다면, 무엇을, 어떻게, 언제, 왜 그렇지 않은지 기술하라.

_____

18. 숫자 계산을 즐기는가? 그렇다면, 무엇을, 어떻게, 언제, 왜 그런지 기술하라. 그렇지 않다면, 무엇을, 어떻게, 언제, 왜 그렇지 않은지 기술하라.

19. 수량화하는 것을 좋아하는가? 그렇다면, 무엇을, 어떻게, 언제, 왜 그런지 기술하라. 그렇지 않다면, 무엇을, 어떻게, 언제, 왜 그렇지 않은지 기술하라.

20. 매일의 삶 속에서 혹은 영화를 보거나 책을 읽을 때, 다음에 어떤 일이

일어날지 궁금해하는 편인가? 그렇다면, 무엇을, 어떻게, 언제, 왜 그런지 기술하라. 그렇지 않다면, 무엇을, 어떻게, 언제, 왜 그렇지 않은지 기술하라.

21. 수학, 통계학, 물리 공식이 말을 거는 듯한 느낌을 받는가? 그렇다면, 무엇을, 어떻게, 언제, 왜 그런지 기술하라. 그렇지 않다면, 무엇을, 어떻게, 언제, 왜 그렇지 않은지 기술하라.

22. 숫자에 담긴 의미를 발견하는 편인가? 그렇다면, 무엇을, 어떻게, 언제, 왜 그런지 기술하라. 그렇지 않다면, 무엇을, 어떻게, 언제, 왜 그렇지 않은지 기술하라.

23. 실험을 설계하거나 실행하는 것을 좋아하는가? 그렇다면, 무엇을, 어떻게, 언제, 왜 그런지 기술하라. 그렇지 않다면, 무엇을, 어떻게, 언제, 왜 그렇지 않은지 기술하라.

24. 보물찾기 같이 전략을 사용하는 게임을 좋아하는가? 그렇다면, 무엇을, 어떻게, 언제, 왜 그런지 기술하라. 그렇지 않다면, 무엇을, 어떻게, 언제, 왜 그렇지 않은지 기술하라.

25. 시간을 체계적으로 관리하는 편인가? 그렇다면, 무엇을, 어떻게, 언제,

왜 그런지 기술하라. 그렇지 않다면, 무엇을, 어떻게, 언제, 왜 그렇지 않은지 기술하라.

26. 데이터 분석하는 것을 좋아하는가? 그렇다면, 무엇을, 어떻게, 언제, 왜 그런지 기술하라. 그렇지 않다면, 무엇을, 어떻게, 언제, 왜 그렇지 않은지 기술하라.

27. "만약에 ~했다면, 어떻게 됐을까?"와 같은 식의 질문을 자주 하는 편인가? 그렇다면, 무엇을, 어떻게, 언제, 왜 그런지 기술하라. 그렇지 않다면, 무엇을, 어떻게, 언제, 왜 그렇지 않은지 기술하라.

28. 정보들을 범주별로 분류하는 것을 좋아하는가? 그렇다면, 무엇을, 어떻게, 언제, 왜 그런지 기술하라. 그렇지 않다면, 무엇을, 어떻게, 언제, 왜 그렇지 않은지 기술하라.

29. 무언가에 대해 다양한 관점에서 균형감 있게 설명하는 편인가? 그렇다면, 무엇을, 어떻게, 언제, 왜 그런지 기술하라. 그렇지 않다면, 무엇을, 어떻게, 언제, 왜 그렇지 않은지 기술하라.

30. 어떤 상황과 관련하여 찬반 양쪽을 다 볼 수 있는가? 그렇다면, 무엇을, 어떻게, 언제, 왜 그런지 기술하라. 그렇지 않다면, 무엇을, 어떻게, 언제,

왜 그렇지 않은지 기술하라.

___

31. 계획 세우는 것을 좋아하는가? 그렇다면, 무엇을, 어떻게, 언제, 왜 그런지 기술하라. 그렇지 않다면, 무엇을, 어떻게, 언제, 왜 그렇지 않은지 기술하라.

___

32. 무언가에 대해 추론하는 것을 좋아하는가? 그렇다면, 무엇을, 어떻게, 언제, 왜 그런지 기술하라. 그렇지 않다면, 무엇을, 어떻게, 언제, 왜 그렇지 않은지 기술하라.

___

33. 숫자 놀이나 복잡한 수학 활동을 좋아하는 편인가? 그렇다면, 무엇을, 어떻게, 언제, 왜 그런지 기술하라. 그렇지 않다면, 무엇을, 어떻게, 언제, 왜 그렇지 않은지 기술하라.

34. 기술 사용하는 것을 좋아하는가? 당신이 사용하고 있는 제품의 기술을 알아보려고 시도하는 편인가? 그렇다면, 무엇을, 어떻게, 언제, 왜 그런지 기술하라. 그렇지 않다면, 무엇을, 어떻게, 언제, 왜 그렇지 않은지 기술하라.

35. 암산을 쉽게 하는 편인가? 그렇다면, 무엇을, 어떻게, 언제, 왜 그런지 기술하라. 그렇지 않다면, 무엇을, 어떻게, 언제, 왜 그렇지 않은지 기술하라.

36. 학창시절 과학, 수학, 컴퓨터 과학을 좋아했는가? 그렇다면, 무엇을, 어떻게, 언제, 왜 그런지 기술하라. 그렇지 않다면, 무엇을, 어떻게, 언제, 왜 그렇지 않은지 기술하라.

37. 체스나 카드 게임 같이 논리적인 게임을 즐기는가? 그렇다면, 무엇을, 어떻게, 언제, 왜 그런지 기술하라. 그렇지 않다면, 무엇을, 어떻게, 언제, 왜 그렇지 않은지 기술하라.

38. 전략을 세워야 하는 컴퓨터나 비디오 게임을 즐기는가? 그렇다면, 무엇을, 어떻게, 언제, 왜 그런지 기술하라. 그렇지 않다면, 무엇을, 어떻게, 언제, 왜 그렇지 않은지 기술하라.

---

39. 수수께끼를 즐기는 편인가? 그렇다면, 무엇을, 어떻게, 언제, 왜 그런지 기술하라. 그렇지 않다면, 무엇을, 어떻게, 언제, 왜 그렇지 않은지 기술하라.

---

40. 문제 해결하는 것을 즐기는 편인가? 그렇다면, 무엇을, 어떻게, 언제, 왜 그런지 기술하라. 그렇지 않다면, 무엇을, 어떻게, 언제, 왜 그렇지 않은지 기술하라.

---

41. '만약에' 게임을 좋아하는가? 그렇다면, 무엇을, 어떻게, 언제, 왜 그런지 기술하라. 그렇지 않다면, 무엇을, 어떻게, 언제, 왜 그렇지 않은지 기술하라.

42. 일정한 규칙이나 패턴, 논리적인 결과를 찾는 편인가? 그렇다면, 무엇을, 어떻게, 언제, 왜 그런지 기술하라. 그렇지 않다면, 무엇을, 어떻게, 언제, 왜 그렇지 않은지 기술하라.

43. 과학, 기술, 자연과학 분야의 발전에 관심이 많은가? 그렇다면, 무엇을, 어떻게, 언제, 왜 그런지 기술하라. 그렇지 않다면, 무엇을, 어떻게, 언제, 왜

그렇지 않은지 기술하라.

44. 모든 것에 대해 합리적인 설명을 선호하는가? 그렇다면, 무엇을, 어떻게, 언제, 왜 그런지 기술하라. 그렇지 않다면, 무엇을, 어떻게, 언제, 왜 그렇지 않은지 기술하라.

45. 추상적 개념을 자주 생각하는 편인가? 그렇다면, 무엇을, 어떻게, 언제, 왜 그런지 기술하라. 그렇지 않다면, 무엇을, 어떻게, 언제, 왜 그렇지 않은지 기술하라.

46. 질서를 이해하고 따르는 편인가? 그렇다면, 무엇을, 어떻게, 언제, 왜 그런지 기술하라. 그렇지 않다면, 무엇을, 어떻게, 언제, 왜 그렇지 않은지 기술하라.

---

47. 사람들과 의논하고 대화를 나눌 때, 논리적 흐름을 재빨리 인식하는가? 그렇다면, 무엇을, 어떻게, 언제, 왜 그런지 기술하라. 그렇지 않다면, 무엇을, 어떻게, 언제, 왜 그렇지 않은지 기술하라.

---

48. 사건이나 영화, 대화, 책 등에서 이야기의 흐름이 논리적이지 못한 것을 알아채는 편인가? 그렇다면, 무엇을, 어떻게, 언제, 왜 그런지 기술하라. 그렇지 않다면, 무엇을, 어떻게, 언제, 왜 그렇지 않은지 기술하라.

49. 퍼즐 맞추기나 레고 조립을 좋아하는가? 그렇다면, 무엇을, 어떻게, 언제, 왜 그런지 기술하라. 그렇지 않다면, 무엇을, 어떻게, 언제, 왜 그렇지 않은지 기술하라.

50. 질문이나 실험, 탐험을 좋아하는가? 그렇다면, 무엇을, 어떻게, 언제, 왜 그런지 기술하라. 그렇지 않다면, 무엇을, 어떻게, 언제, 왜 그렇지 않은지 기술하라.

작성한 답변을 읽고, 당신의 논리·수학 모듈은 어떤지 요약해 보라. 요약하면서 내용을 고치거나 보충하고 싶다면, 그렇게 하라. 그것은 정상적이고 바람직한 자기규제 과정이다. 요약을 한 후에는 자신이 쓴 내용에 동의하는지, 덧붙일 내용은 없는지 점검해 보라. 그리고 스스로에게 "내가 정말 이런 식으로 생각하는가? 다른 사람에게 보이기 위한 것인가, 아니면 정직하게 답한 것인가?" 자문해 보라.

사람들과 소통하고 어울리고 일상생활 능력을 향상시키기 위해 논리·수학 메타인지를 어떻게 사용할지에 대해 쓰라. 당신은 온전히 당신 자신일 때, 더 좋아질 수 있다.

모듈 5) 운동감각 메타인지

> 운동감각 메타인지 모듈은 신체 활동, 체성 감각, 그리고 몸으로 느끼는 다양한 경험과 감정 등과 연관이 있으며, 몸 안의 감각들을 통합하는 것을 포함한다. 또한 신체 조정 능력, 순발력, 유연성, 손재주, 균형감각 등이 이 범주에 속하는데, 이로 인해 우리는 축구를 하거나 뛰어다니거나 넘어지지 않고 의자에 앉거나 좁은 통로를 통과할 수 있다.
>
> 본질적으로 이것은 몸의 움직임을 조절하고 스스로 조정하는 능력, 주변의 사물을 능숙하게 다루는 능력을 포함하는 매우 촉각적이고 활동적이고 다중감각적인 능력으로, 배우는 과정에서 만져 보고, 느끼고, 사물을 움직여 보기도 하고, 조종하고, 경험해 볼 필요가 있다.

1. 당신은 무언가를 이해하기 위해 직접 느끼고 경험하는 것이 필요하다고 생각하는가? 가령, 스마트폰이나 잡지에서 신상품을 보았을 때, 그것에 대한 정보를 처리하기 위해 직접 손으로 만져야 하는가? 그렇다면, 무엇을, 어떻게, 언제, 왜 그런지 기술하라. 그렇지 않다면, 무엇을, 어떻게, 언제, 왜 그렇지 않은지 기술하라.

   _____
   _____
   _____
   _____
   _____

2. 신체 동작이나 활동을 하기 전에 미리 상상해 보는가? 다시 말해 과정이

다소 복잡한 운동이나 춤 동작을 하기 전에 머릿속으로 전체 과정을 상상해 보고 하는가? 그렇다면, 무엇을, 어떻게, 언제, 왜 그런지 기술하라. 그렇지 않다면, 무엇을, 어떻게, 언제, 왜 그렇지 않은지 기술하라.

―――――――――――――――――――――――――――――
―――――――――――――――――――――――――――――
―――――――――――――――――――――――――――――
―――――――――――――――――――――――――――――

3. 책을 읽다가 이해하기 어려울 경우, 그것을 이해하고 싶은 마음에 책이나 읽고 있는 페이지를 손으로 만지는가? 그렇다면, 무엇을, 어떻게, 언제, 왜 그런지 기술하라. 그렇지 않다면, 무엇을, 어떻게, 언제, 왜 그렇지 않은지 기술하라.

―――――――――――――――――――――――――――――
―――――――――――――――――――――――――――――
―――――――――――――――――――――――――――――
―――――――――――――――――――――――――――――

4. 익숙하지 않은 정보를 이해하고 잘 기억하기 위해 주변을 돌아다니거나 아무거나 잡고 싶을 때가 있는가? 그렇다면, 무엇을, 어떻게, 언제, 왜 그런지 기술하라. 그렇지 않다면, 무엇을, 어떻게, 언제, 왜 그렇지 않은지

기술하라.

⋮

5. 새로운 것을 배울 때, 그것을 자신의 것으로 만들기 위해 직접 부딪쳐 경험하는 편인가? 가령, 새 직장으로 가는 길을 익히기 위해 혼자서 내비게이션의 안내에 따라 가면서 익히는가? 아니면 길을 잘 아는 사람을 따라 운전하거나 그 사람의 차에 동승해서 익히는가? 그렇다면, 무엇을, 어떻게, 언제, 왜 그런지 기술하라. 그렇지 않다면, 무엇을, 어떻게, 언제, 왜 그렇지 않은지 기술하라.

⋮

6. 새로운 것을 배울 때, 설명을 듣는 것보다 직접 그 과정을 눈으로 보는 편이 이해가 더 빨리 되는가? 그렇다면, 무엇을, 어떻게, 언제, 왜 그런지 기술하라. 그렇지 않다면, 무엇을, 어떻게, 언제, 왜 그렇지 않은지 기술하라.

7. 피아노를 처음 배우거나 새로운 운동이나 기술 등을 배울 때, 자신에게 가르치며 익히는 편인가? 그렇다면, 무엇을, 어떻게, 언제, 왜 그런지 기술하라. 그렇지 않다면, 무엇을, 어떻게, 언제, 왜 그렇지 않은지 기술하라.

8. 운동이나 신체활동을 하거나 일상생활을 할 때, 몸을 유연하게 잘 움직이는 편인가? 그렇다면, 무엇을, 어떻게, 언제, 왜 그런지 기술하라. 그렇지 않다면, 무엇을, 어떻게, 언제, 왜 그렇지 않은지 기술하라.

9. 운동이나 악기 연주나 노래, 운전 등을 포함해서 일상생활 중에 순발력, 민첩성이 좋은 편이라고 생각하는가? 그렇다면, 무엇을, 어떻게, 언제, 왜 그런지 기술하라. 그렇지 않다면, 무엇을, 어떻게, 언제, 왜 그렇지 않은지 기술하라.

---

10. 무언가를 설명하거나 누군가를 이해시켜야 할 경우, 터치나 느낌이나 신체나 도구를 사용하는가? 그렇다면, 무엇을, 어떻게, 언제, 왜 그런지 기술하라. 그렇지 않다면, 무엇을, 어떻게, 언제, 왜 그렇지 않은지 기술하라.

---

11. 무언가를 설명하거나 메시지를 전달하기 위해 물건을 사용하는 편인가? 예를 들어 핵심적인 내용을 설명하기 위해 주변에 있는 물건을 활용하는가? 그렇다면, 무엇을, 어떻게, 언제, 왜 그런지 기술하라. 그렇지 않다면, 무엇을, 어떻게, 언제, 왜 그렇지 않은지 기술하라.

12. 무언가를 설명하거나 상대에게 메시지를 잘 전달하기 위해 몸동작을 많이 사용하는가? 그렇다면, 무엇을, 어떻게, 언제, 왜 그런지 기술하라. 그렇지 않다면, 무엇을, 어떻게, 언제, 왜 그렇지 않은지 기술하라.

13. 이전에 경험한 적 없는 새로운 환경에서 직접 만지거나 몸으로 부딪쳐 보는 편인가? 이렇게 하는 것이 그것을 이해하고 기억하는 데 도움이 되는가? 그렇다면, 무엇을, 어떻게, 언제, 왜 그런지 기술하라. 그렇지 않다면, 무엇을, 어떻게, 언제, 왜 그렇지 않은지 기술하라.

14. 물건을 들고 살펴보는 것을 좋아하는가? 그렇다면, 무엇을, 어떻게, 언제, 왜 그런지 기술하라. 그렇지 않다면, 무엇을, 어떻게, 언제, 왜 그렇지 않은지 기술하라.

---

15. 무언가를 듣거나 이해하기 위해, 또는 누군가에게 무언가를 설명할 때 손이나 발, 몸을 사용하는 편인가? 그렇다면, 무엇을, 어떻게, 언제, 왜 그런지 기술하라. 그렇지 않다면, 무엇을, 어떻게, 언제, 왜 그렇지 않은지 기술하라.

---

16. 긴 시간 책상에 앉아 있을 때, 새로운 정보에 집중하기 위해 스트레칭을 자주 하는가? 스트레칭이나 몸을 움직이는 것이 정보를 이해하는 데 도움

이 된다고 생각하는가? 그렇다면, 무엇을, 어떻게, 언제, 왜 그런지 기술하라. 그렇지 않다면, 무엇을, 어떻게, 언제, 왜 그렇지 않은지 기술하라.

17. 새로운 내용을 학습할 때, 한 번씩 일어나 몸을 움직이는 편인가? 몸을 움직이지 않으면, 계속 집중하기 힘든가? 그렇다면, 무엇을, 어떻게, 언제, 왜 그런지 기술하라. 그렇지 않다면, 무엇을, 어떻게, 언제, 왜 그렇지 않은지 기술하라.

18. 무언가를 듣거나 깊이 집중을 하는 중에 하품을 자주 하는가?(실제로 하품은 뇌를 껐다가 켜는 역할을 해서 집중력을 돕는 역할을 한다) 그렇다면, 무엇을, 어떻게, 언제, 왜 그런지 기술하라. 그렇지 않다면, 무엇을, 어떻게, 언제, 왜 그렇지 않은지 기술하라.

18. 역할극이나, 드라마, 제스처 게임, 연극의 배역을 맡아서 하는 것을 좋아하는가? 그렇다면, 무엇을, 어떻게, 언제, 왜 그런지 기술하라. 그렇지 않다면, 무엇을, 어떻게, 언제, 왜 그렇지 않은지 기술하라.

20. 몸을 움직이거나 말을 하는 등 행동이 요구되는 게임을 좋아하는가? 그렇다면, 무엇을, 어떻게, 언제, 왜 그런지 기술하라. 그렇지 않다면, 무엇을, 어떻게, 언제, 왜 그렇지 않은지 기술하라.

21. 새로운 환경에 적응하기 위해 직접 만져 보거나 움직여 봄으로 익히는가? 그렇다면, 무엇을, 어떻게, 언제, 왜 그런지 기술하라. 그렇지 않다면, 무엇을, 어떻게, 언제, 왜 그렇지 않은지 기술하라.

．．

．．

．．

．．

22. 단지 눈으로 보는 것보다는 직접 만지거나 작동해 보면서 배우는 것을 좋아하는가? 예를 들어 온라인 강좌를 들을 때, 배운 내용을 익히기 위해 잠시 멈춰서 메모하거나 그림을 그리거나 다양한 방식으로 상호작용을 하는가? 그렇다면, 무엇을, 어떻게, 언제, 왜 그런지 기술하라. 그렇지 않다면, 무엇을, 어떻게, 언제, 왜 그렇지 않은지 기술하라.

．．

．．

．．

．．

23. 가구나 테이블 장식이나 쿠션 등을 잘 배치하는 편인가? 벽이나 방 어느 장소든 필요한 것이 무엇인지 잘 파악하는가? 그렇다면, 무엇을, 어떻게, 언제, 왜 그런지 기술하라. 그렇지 않다면, 무엇을, 어떻게, 언제, 왜 그렇

지 않은지 기술하라.

24. 박물관이나 천문관 견학 같이 현장에 직접 가서 배우는 것을 좋아하는가? 그렇다면, 무엇을, 어떻게, 언제, 왜 그런지 기술하라. 그렇지 않다면, 무엇을, 어떻게, 언제, 왜 그렇지 않은지 기술하라.

25. 연극이나 뮤지컬에 참여하는 것을 좋아하는가? 그렇다면, 무엇을, 어떻게, 언제, 왜 그런지 기술하라. 그렇지 않다면, 무엇을, 어떻게, 언제, 왜 그렇지 않은지 기술하라.

26. 보물찾기나 잡기 놀이처럼 몸을 움직여서 하는 게임을 즐기는가? 그렇다면, 무엇을, 어떻게, 언제, 왜 그런지 기술하라. 그렇지 않다면, 무엇을, 어떻게, 언제, 왜 그렇지 않은지 기술하라.

27. 사람들이 옷 색깔이나 스타일이 안 어울리게 입은 것을 단박에 알아차리는가? 그렇다면, 무엇을, 어떻게, 언제, 왜 그런지 기술하라. 그렇지 않다면, 무엇을, 어떻게, 언제, 왜 그렇지 않은지 기술하라.

28. 실내 인테리어를 할 때, 균형을 중요시하는가? 당신에게 균형이란 어떤 의미인가? 그렇다면, 무엇을, 어떻게, 언제, 왜 그런지 기술하라. 그렇지 않다면, 무엇을, 어떻게, 언제, 왜 그렇지 않은지 기술하라.

29. 당신의 몸과 자신이 어떻게 느끼는지에 대해 인식하는 편인가? 그렇다면, 무엇을, 어떻게, 언제, 왜 그런지 기술하라. 그렇지 않다면, 무엇을, 어떻게, 언제, 왜 그렇지 않은지 기술하라.

30. 몸의 건강을 중요하게 여기는가? 규칙적으로 운동을 하고 균형 잡힌 건강식으로 식단을 짜는가? 건강에 해로운 음식이 어떤 작용을 하는지와 가공식품이나 유전자 변형 농산물이 건강을 해롭게 한다는 것을 인식하는가? 그렇다면, 무엇을, 어떻게, 언제, 왜 그런지 기술하라. 그렇지 않다면, 무엇을, 어떻게, 언제, 왜 그렇지 않은지 기술하라.

31. 에어로빅이나 춤, 필라테스와 같이 운동 순서가 잘 정리된 그룹 활동에 참여하는 것을 좋아하는가? 그렇다면, 무엇을, 어떻게, 언제, 왜 그런지 기술하라. 그렇지 않다면, 무엇을, 어떻게, 언제, 왜 그렇지 않은지 기술하라.

32. 바느질, 그림 그리기 같이 손을 쓰는 활동에 재주가 있는 편이라고 생각하는가? 그렇다면, 무엇을, 어떻게, 언제, 왜 그런지 기술하라. 그렇지 않다면, 무엇을, 어떻게, 언제, 왜 그렇지 않은지 기술하라.

33. 도자기 굽는 일과 목각, 물건 만들기 등과 같은 수공예를 즐기는 편인

가? 이러한 활동을 할 때, 마음이 편해지는가? 그렇다면, 무엇을, 어떻게, 언제, 왜 그런지 기술하라. 그렇지 않다면, 무엇을, 어떻게, 언제, 왜 그렇지 않은지 기술하라.

34. 안무를 짜거나 새로운 스타일의 농구와 같이 창의적인 스포츠 활동을 하는 것이 쉬운가? 그렇다면, 무엇을, 어떻게, 언제, 왜 그런지 기술하라. 그렇지 않다면, 무엇을, 어떻게, 언제, 왜 그렇지 않은지 기술하라.

35. 축구, 야구, 테니스 등을 즐기는 편인가? 이것은 기술적으로 뛰어난 것과 상관없이 공으로 하는 운동을 즐기는가에 관한 것이다. 그렇다면, 무엇을, 어떻게, 언제, 왜 그런지 기술하라. 그렇지 않다면, 무엇을, 어떻게, 언제, 왜 그렇지 않은지 기술하라.

36. 춤이나 운동, 수공예 등을 눈으로 본 후에 그대로 잘 따라하는 편인가? 그렇다면, 무엇을, 어떻게, 언제, 왜 그런지 기술하라. 그렇지 않다면, 무엇을, 어떻게, 언제, 왜 그렇지 않은지 기술하라.

37. 사이클링이나 오토바이, 스키처럼 스피드와 균형감각과 조정 기술이 필요한 활동을 잘 하는 편인가? 그렇다면, 무엇을, 어떻게, 언제, 왜 그런지 기술하라. 그렇지 않다면, 무엇을, 어떻게, 언제, 왜 그렇지 않은지 기술하라.

38. 운동을 하기 위해 조깅이나 달리기를 하는가, 아니면 재미를 위해 하는가? 그렇다면, 무엇을, 어떻게, 언제, 왜 그런지 기술하라. 그렇지 않다면, 무엇을, 어떻게, 언제, 왜 그렇지 않은지 기술하라.

39. 마라톤이나 운동 시합에 참가하는 것을 즐기는 편인가? 그렇다면, 무엇을, 어떻게, 언제, 왜 그런지 기술하라. 그렇지 않다면, 무엇을, 어떻게, 언제, 왜 그렇지 않은지 기술하라.

40. 혼자 하는 운동과 함께하는 운동 중 어느 것을 더 좋아하는가? 아니면 산책을 하거나 체육관에서 자신만의 방식으로 운동하는 것과 같이 자신이 적절하다고 생각하는 방식으로 운동하는가? 이것에 대해 무엇을, 어떻게, 언제, 왜 그런지 기술하라.

_____
_____
_____

41. 운동과 스포츠를 좋아하지만, 특별히 잘하는 운동은 없는가? 그렇다면, 무엇을, 어떻게, 언제, 왜 그런지 기술하라. 그렇지 않다면, 무엇을, 어떻게, 언제, 왜 그렇지 않은지 기술하라.

_____
_____
_____
_____

42. 수영이나 수중 에어로빅을 여가활동이나 시합 중 어떤 목적으로 하는 것을 좋아하는가? 이에 대해 무엇을, 어떻게, 언제, 왜 그런지 기술하라.

_____
_____
_____
_____

43. 물에서 노는 것을 좋아하는가? 그렇다면, 무엇을, 어떻게, 언제, 왜 그런

지 기술하라. 그렇지 않다면, 무엇을, 어떻게, 언제, 왜 그렇지 않은지 기술하라.

44. 한 가지에 생각이 깊이 빠져 있을 때, 가만히 있지 못하는 편인가? 그렇다면, 무엇을, 어떻게, 언제, 왜 그런지 기술하라. 그렇지 않다면, 무엇을, 어떻게, 언제, 왜 그렇지 않은지 기술하라.

45. 공예용 점토로 만드는 것을 좋아하는가? 그렇다면, 무엇을, 어떻게, 언제, 왜 그런지 기술하라. 그렇지 않다면, 무엇을, 어떻게, 언제, 왜 그렇지 않은지 기술하라.

46. 스포츠 생중계를 보면서 선수들의 기술을 분석하고 평가하는 것을 즐기는가? 그렇다면, 무엇을, 어떻게, 언제, 왜 그런지 기술하라. 그렇지 않다면, 무엇을, 어떻게, 언제, 왜 그렇지 않은지 기술하라.

47. 사물에 대한 감각을 몸으로 느끼는 편인가? 예를 들어 어떤 장소를 지나거나 스포츠 경기를 하거나 새로운 영역에 들어설 때, 몸에 반응이 일어나는 것을 느끼는가? 그렇다면, 무엇을, 어떻게, 언제, 왜 그런지 기술하라. 그렇지 않다면, 무엇을, 어떻게, 언제, 왜 그렇지 않은지 기술하라.

48. 교실에서 오랜 시간 한 자리에서 움직이지 않고 앉아 있는 것이 힘든가?

그렇다면, 무엇을, 어떻게, 언제, 왜 그런지 기술하라. 그렇지 않다면, 무엇을, 어떻게, 언제, 왜 그렇지 않은지 기술하라.

_____
_____
_____
_____

49. 운동이나 어떤 식으로든 몸을 움직이는 것이 당신에게 편안함 또는 휴식이 되는가? 그렇다면, 무엇을, 어떻게, 언제, 왜 그런지 기술하라. 그렇지 않다면, 무엇을, 어떻게, 언제, 왜 그렇지 않은지 기술하라.

_____
_____
_____
_____

작성한 답변을 읽고, 당신의 운동감각 모듈은 어떤지 요약해 보라. 요약하면서 내용을 고치거나 보충하고 싶다면, 그렇게 하라. 그것은 정상적이고 바람직한 자기규제 과정이다. 요약을 한 후에는 자신이 쓴 내용에 동의하는지, 덧붙일 내용은 없는지 점검해 보라. 그리고 스스로에게 "내가 정말 이런 식으로 생각하는가? 다른 사람에게 보이기 위한 것인가, 아니면 정직하게 답한 것인가?" 자문해 보라.

   사람들과 소통하고 어울리고 일상생활 능력을 향상시키기 위해 운동감각 메타인지를 어떻게 사용할지에 대해 쓰라. 당신은 온전히 당신 자신일 때, 더 좋아질 수 있다.

모듈 6) 음악 메타인지

> 음악 메타인지 모듈에는 노래하고 악기를 연주하는 능력과 소리를 찾고, 음악 안에서 평화와 위로, 자극, 동기를 찾으며, 콧노래를 부르는 것 외에 직관적이고 본능적이며, 패턴을 발견하고, 리듬을 인식하는 능력도 포함된다. 가장 중요한 것은 주변의 상황과 사람들, 그리고 그들이 조성한 분위기를 감지할 뿐 아니라 상황이나 어떤 장소, 사람들이 심상치 않을 때, 숨겨진 뜻을 간파하는 것이다.
>
> 이것은 사람의 본능을 관장하는 뇌섬이라는 부분에서 광범위하게 작용한다. 이로 인해 당신은 숨겨진 뜻을 간파하고, 의미를 알아차리며, 그것을 확인할 수 있다. 예를 들어, "괜찮니?"라는 물음에 친구가 괜찮다고 하는데도 목소리가 떨리고 있다면, 친구에게 뭐가 좋지 않은 일이 있음을 본능적으로 알게 된다. 따라서 그것은 말의 내용보다는 말투(어조)나 몸짓을 통해 사람들의 상태를 파악하는 능력과 관계가 있다.
>
> 음악적 사고에는 음악적 표현과 관련된 능력뿐 아니라 주변에서 보고 듣는 음조, 선율, 리듬, 소리와 움직임에 대한 조율과 직관력, 직감, 바디 랭귀지를 읽는 것까지 포함된다. 다시 말해서 이것은 모차르트와 같은 음악가에게서 볼 수 있는 사고 유형과 더불어 대화의 해석과 관련 있는 사고 유형이다.

1. 우리는 모두 직관적이며, 그것은 사고 과정의 일부이다. 그런데 종종 어떤 일이 일어나기 전에 벌써 그 일이 일어날 것을 아는 사람들과 같이 이 부분에 있어서 조금 더 발달되어 있는 사람이 있다. 혹시 당신이 그런 사람인가? 그렇다면, 무엇을, 어떻게, 언제, 왜 그런지 기술하라. 그렇지 않다면, 무엇을, 어떻게, 언제, 왜 그렇지 않은지 기술하라.

---

2. 다른 사람의 기쁨이나 슬픔을 마치 자신의 일처럼 받아들이고 느끼는가? 그렇다면, 무엇을, 어떻게, 언제, 왜 그런지 기술하라. 그렇지 않다면, 무엇을, 어떻게, 언제, 왜 그렇지 않은지 기술하라.

3. 다른 사람의 고통을 강하게 느낄 때가 많은가? 그것이 당신의 삶에 영향을 미치는가? 그럴 때 당신은 그것을 그냥 잊어버리려 하는가, 아니면 도와주려고 하는가? 그렇다면, 무엇을, 어떻게, 언제, 왜 그런지 기술하라. 그렇지 않다면, 무엇을, 어떻게, 언제, 왜 그렇지 않은지 기술하라.

4. 마음에 상처를 받거나 슬픈 영화를 보면 잘 우는가? 그렇다면, 무엇을, 어떻게, 언제, 왜 그런지 기술하라. 그렇지 않다면, 무엇을, 어떻게, 언제, 왜 그렇지 않은지 기술하라.

　

5. 어떤 영화나 이야기가 마치 당신의 이야기 같아서 보기 힘들 때가 있는가? 그렇다면, 무엇을, 어떻게, 언제, 왜 그런지 기술하라. 그렇지 않다면, 무엇을, 어떻게, 언제, 왜 그렇지 않은지 기술하라.

　

6. 수학적 사고 감각이 있는가? 그렇다면, 무엇을, 어떻게, 언제, 왜 그런지 기술하라. 그렇지 않다면, 무엇을, 어떻게, 언제, 왜 그렇지 않은지 기술하라.

_____
_____
_____

7. 다른 사람의 생각을 읽을 수 있는가? 그렇다면, 무엇을, 어떻게, 언제, 왜 그런지 기술하라. 그렇지 않다면, 무엇을, 어떻게, 언제, 왜 그렇지 않은지 기술하라.

_____
_____
_____
_____

8. 사람들의 말이나 글, 몸짓과 행동을 통해 그 사람의 숨은 속마음을 읽을 수 있는가? 그렇다면, 무엇을, 어떻게, 언제, 왜 그런지 기술하라. 그렇지 않다면, 무엇을, 어떻게, 언제, 왜 그렇지 않은지 기술하라.

_____
_____
_____
_____

9. 당신의 생각과 감정의 변화를 인식하는 편인가? 그렇다면, 무엇을, 어떻

게, 언제, 왜 그런지 기술하라. 그렇지 않다면, 무엇을, 어떻게, 언제, 왜 그렇지 않은지 기술하라.

10. 당신의 신체적 고통을 쉽게 알아차리고 설명할 수 있는가? 그렇다면, 무엇을, 어떻게, 언제, 왜 그런지 기술하라. 그렇지 않다면, 무엇을, 어떻게, 언제, 왜 그렇지 않은지 기술하라.

11. 부정적인 생각이나 느낌이 들 때 일어나는 마음과 몸의 변화를 쉽게 느끼는 편인가? 그렇다면, 무엇을, 어떻게, 언제, 왜 그런지 기술하라. 그렇지 않다면, 무엇을, 어떻게, 언제, 왜 그렇지 않은지 기술하라.

12. 어떤 상황이 일어날지 미리 예측하는 편인가? 당신의 예측은 정확한 편인가? 그렇다면, 무엇을, 어떻게, 언제, 왜 그런지 기술하라. 그렇지 않다면, 무엇을, 어떻게, 언제, 왜 그렇지 않은지 기술하라.

13. 사람들을 잘 파악하는 편인가? 그들의 몸짓과 표현, 어조를 통해 그 사람을 파악할 수 있는가? 그렇다면, 무엇을, 어떻게, 언제, 왜 그런지 기술하라. 그렇지 않다면, 무엇을, 어떻게, 언제, 왜 그렇지 않은지 기술하라.

14. 사람의 인격, 즉 사람됨을 볼 줄 아는가? 그렇다면, 무엇을, 어떻게, 언제, 왜 그런지 기술하라. 그렇지 않다면, 무엇을, 어떻게, 언제, 왜 그렇지

않은지 기술하라.

15. 대화를 나눌 때, 대화의 흐름을 잘 파악하는 편인가? 그렇다면, 무엇을, 어떻게, 언제, 왜 그런지 기술하라. 그렇지 않다면, 무엇을, 어떻게, 언제, 왜 그렇지 않은지 기술하라.

16. 대인관계에서 자신의 언행을 적절하게 조절하지 못하는 사람을 빨리 알아보는 편인가? 그렇다면, 무엇을, 어떻게, 언제, 왜 그런지 기술하라. 그렇지 않다면, 무엇을, 어떻게, 언제, 왜 그렇지 않은지 기술하라.

17. 뭔가 일이 잘 되는 느낌, 안 되는 느낌, 좋지 않은 분위기를 본능적으로 감지하는 편인가? 그렇다면, 무엇을, 어떻게, 언제, 왜 그런지 기술하라. 그렇지 않다면, 무엇을, 어떻게, 언제, 왜 그렇지 않은지 기술하라.

18. 괜찮다는 느낌이 들기까지 언행을 자제하는 편인가? 그렇다면, 무엇을, 어떻게, 언제, 왜 그런지 기술하라. 그렇지 않다면, 무엇을, 어떻게, 언제, 왜 그렇지 않은지 기술하라.

19. 다른 사람을 쉽게 믿는 편인가? 그렇다면, 무엇을, 어떻게, 언제, 왜 그런지 기술하라. 그렇지 않다면, 무엇을, 어떻게, 언제, 왜 그렇지 않은지 기술하라.

20. 사람의 말 속에 담겨 있는 뉘앙스를 금방 알아채는 편인가? 그렇다면, 무엇을, 어떻게, 언제, 왜 그런지 기술하라. 그렇지 않다면, 무엇을, 어떻게, 언제, 왜 그렇지 않은지 기술하라.

21. 사람의 말소리, 주변의 소리, 자연의 소리, 음악 소리 등 다양한 소리를 듣고 반응하는 편인가? 그렇다면, 무엇을, 어떻게, 언제, 왜 그런지 기술하라. 그렇지 않다면, 무엇을, 어떻게, 언제, 왜 그렇지 않은지 기술하라.

22. 음악을 좋아하는가? 삶에 음악이 필요하다고 생각하는가? 그렇다면, 무엇을, 어떻게, 언제, 왜 그런지 기술하라. 그렇지 않다면, 무엇을, 어떻게, 언제, 왜 그렇지 않은지 기술하라.

23. 무언가에 집중하고 있을 때, 펜을 돌리거나 의자를 흔들거나 머리를 까딱거리는 식으로 리듬 타는 것을 좋아하는가? 그렇다면, 무엇을, 어떻게, 언제, 왜 그런지 기술하라. 그렇지 않다면, 무엇을, 어떻게, 언제, 왜 그렇지 않은지 기술하라.

24. 음악을 들을 때, 흥얼거리는 식으로 반응하는 편인가? 그렇다면, 무엇을, 어떻게, 언제, 왜 그런지 기술하라. 그렇지 않다면, 무엇을, 어떻게, 언제, 왜 그렇지 않은지 기술하라.

25. 음악을 들으면, 리듬에 맞춰 몸을 움직이는가? 그렇다면, 무엇을, 어떻게, 언제, 왜 그런지 기술하라. 그렇지 않다면, 무엇을, 어떻게, 언제, 왜 그렇지 않은지 기술하라.

26. 음악을 듣거나 노래하는 것이 감정을 풍부하게 한다고 생각하는가? 그렇다면, 무엇을, 어떻게, 언제, 왜 그런지 기술하라. 그렇지 않다면, 무엇을, 어떻게, 언제, 왜 그렇지 않은지 기술하라.

27. 체조, 발레, 춤, 운동을 볼 때, 움직임 속에서 음악을 들을 수 있는가? 그렇다면, 무엇을, 어떻게, 언제, 왜 그런지 기술하라. 그렇지 않다면, 무엇을, 어떻게, 언제, 왜 그렇지 않은지 기술하라.

28. 음악 스타일, 음표, 음색, 음악이 담고 있는 문화적 차이를 인식하며 듣는가? 그렇다면, 무엇을, 어떻게, 언제, 왜 그런지 기술하라. 그렇지 않다면, 무엇을, 어떻게, 언제, 왜 그렇지 않은지 기술하라.

29. 음악이 인간의 삶을 더 풍요롭게 한다고 생각하는가? 그렇다면, 무엇을, 어떻게, 언제, 왜 그런지 기술하라. 그렇지 않다면, 무엇을, 어떻게, 언제, 왜 그렇지 않은지 기술하라.

30. 다양한 장르의 음반을 수집하는가? 그렇다면, 무엇을, 어떻게, 언제, 왜 그런지 기술하라. 그렇지 않다면, 무엇을, 어떻게, 언제, 왜 그렇지 않은지 기술하라.

31. 노래를 부를 수 있는가? 그렇다면, 무엇을, 어떻게, 언제, 왜 그런지 기술하라. 그렇지 않다면, 무엇을, 어떻게, 언제, 왜 그렇지 않은지 기술하라.

32. 악기를 한 가지 이상 연주할 수 있는가? 그렇다면, 무엇을, 어떻게, 언제, 왜 그런지 기술하라. 그렇지 않다면, 무엇을, 어떻게, 언제, 왜 그렇지

않은지 기술하라.

_____
_____
_____
_____

33. 음악을 분석하고 평가하는 것을 좋아하는가? 그렇다면, 무엇을, 어떻게, 언제, 왜 그런지 기술하라. 그렇지 않다면, 무엇을, 어떻게, 언제, 왜 그렇지 않은지 기술하라.

_____
_____
_____
_____

34. 작곡가가 음악을 통해 전달하고 싶은 내용을 잘 이해하는 편인가? 그렇다면, 무엇을, 어떻게, 언제, 왜 그런지 기술하라. 그렇지 않다면, 무엇을, 어떻게, 언제, 왜 그렇지 않은지 기술하라.

_____
_____
_____
_____

35. 노래 제목이나 가사를 잘 기억하는 편인가? 그렇다면, 무엇을, 어떻게, 언제, 왜 그런지 기술하라. 그렇지 않다면, 무엇을, 어떻게, 언제, 왜 그렇지 않은지 기술하라.

36. 노래를 한두 번 들은 후에 거의 비슷하게 부르거나 흥얼거릴 수 있는가? 그렇다면, 무엇을, 어떻게, 언제, 왜 그런지 기술하라. 그렇지 않다면, 무엇을, 어떻게, 언제, 왜 그렇지 않은지 기술하라.

37. 악기를 만들었거나 만들어 보고 싶은 적이 있는가? 그렇다면, 무엇을, 어떻게, 언제, 왜 그런지 기술하라. 그렇지 않다면, 무엇을, 어떻게, 언제, 왜 그렇지 않은지 기술하라.

38. 음악을 좋아하는가? 그렇다면, 무엇을, 어떻게, 언제, 왜 그런지 기술하라. 그렇지 않다면, 무엇을, 어떻게, 언제, 왜 그렇지 않은지 기술하라.

39. 음향 기사나 지휘자, 음악가가 되고 싶은가? 아니면 지금 그 일을 하고 있는가? 그렇다면, 무엇을, 어떻게, 언제, 왜 그런지 기술하라. 그렇지 않다면, 무엇을, 어떻게, 언제, 왜 그렇지 않은지 기술하라.

40. 악보를 읽거나 작곡을 할 수 있는가? 그렇다면, 무엇을, 어떻게, 언제, 왜 그런지 기술하라. 그렇지 않다면, 무엇을, 어떻게, 언제, 왜 그렇지 않은지 기술하라.

41. 노래를 부르거나 악기를 연주하는 것과 같은 음악 활동을 좋아하는가? 그렇다면, 무엇을, 어떻게, 언제, 왜 그런지 기술하라. 그렇지 않다면, 무엇을, 어떻게, 언제, 왜 그렇지 않은지 기술하라.

42. 일하거나 새로운 것을 배울 때, 손으로 리듬을 타거나 노래하거나 흥얼거리는 편인가? 그렇다면, 무엇을, 어떻게, 언제, 왜 그런지 기술하라. 그렇지 않다면, 무엇을, 어떻게, 언제, 왜 그렇지 않은지 기술하라.

43. 휘파람 부는 것을 좋아하는가? 휘파람을 불 수 있는가? 그렇다면, 무엇을, 어떻게, 언제, 왜 그런지 기술하라. 그렇지 않다면, 무엇을, 어떻게, 언제, 왜 그렇지 않은지 기술하라.

44. 부정적인 사람이나 환경에 영향을 많이 받는 편인가? 그러한 분위기가 당신에게 오랫동안 영향을 끼치는가? 그렇다면, 무엇을, 어떻게, 언제, 왜 그런지 기술하라. 그렇지 않다면, 무엇을, 어떻게, 언제, 왜 그렇지 않은지 기술하라.

45. 누군가 당신을 잘못된 길로 인도하거나 당신의 삶에 부정적인 영향을 끼친다는 사실을 빨리 알아채는 편인가? 그렇다면, 무엇을, 어떻게, 언제, 왜 그런지 기술하라. 그렇지 않다면, 무엇을, 어떻게, 언제, 왜 그렇지 않은지 기술하라.

   ....
   ....
   ....
   ....
   ....

46. 당신의 삶에 일어나는 일에 대해 어떻게, 왜 그 일이 일어났는지 질문을 많이 하는 편인가? 그리고 그 일의 긍정적인 측면과 부정적인 측면을 다 볼 수 있는가? 그렇다면, 무엇을, 어떻게, 언제, 왜 그런지 기술하라. 그렇지 않다면, 무엇을, 어떻게, 언제, 왜 그렇지 않은지 기술하라.

   ....
   ....
   ....
   ....
   ....

작성한 답변을 읽고, 당신의 음악 모듈은 어떤지 요약해 보라. 요약하면서 내용을 고치거나 보충하고 싶다면, 그렇게 하라. 그것은 정상적이고 바람직한 자기규제 과정이다. 요약을 한 후에는 자신이 쓴 내용에 동의하는지, 덧붙일 내용은 없는지 점검해 보라. 그리고 스스로에게 "내가 정말 이런 식으로 생각하는가? 다른 사람에게 보이기 위한 것인가, 아니면 정직하게 답한 것인가?" 자문해 보라.

   사람들과 소통하고 어울리고 일상생활 능력을 향상시키기 위해 음악 메타인지를 어떻게 사용할지에 대해 쓰라. 당신은 온전히 당신 자신일 때, 더 좋아질 수 있다.

모듈 7) 시각·공간 메타인지

마지막 모듈은 시각·공간 메타인지 모듈이다. 시각·공간적 사고에는 색깔, 빛, 모양과 깊이를 보는 능력, 공간 안에서 움직이는 능력, 눈을 감고 사물을 상상하는 능력, 눈앞에 존재하지 않는 것을 시각화하는 능력이 포함된다. 시각 장애를 가진 사람들은 전적으로 마음의 눈으로 보는 것에 의존하기 때문에 시각·공간적 사고가 잘 발달되어 있다. 따라서 시각·공간적 사고는 보지 않고도 볼 수 있는 능력이다. 예를 들어 당신은 좋아하는 물건을 상상하고, 그것에 대한 시각적 이미지를 무의식에서 의식으로 불러올 수 있다. 이것은 마음의 눈으로 본 것을 그림이나 이미지로 시각화하고, 마인드맵을 만들고, 시각·공간적 세계를 정확하게 인식하고, 초기 지각에 따라 행동하는 능력이다.

시각·공간적 사고는 마음에 있는 공간적 세계를 내부적으로 표현하는 것, 3차원 공간 안에서 원활하게 움직이는 것이다. 예술가는 시각·공간적 사고의 수준이 높아서 위대한 걸작을 남긴 레오나르도 다빈치나 미켈란젤로의 걸작처럼 위대한 작품 안에 그것을 그대로 표현해 낸다.

그러나 이러한 유형의 사고는 예술가에게만 한정되지는 않는다. 예를 들어 아이작 뉴턴이나 알버드 아인슈타인이 지닌 높은 수준의 시각·공간적 사고는 보다 과학적이었다. 그것은 또한 눈으로 볼 수 있는 물리적인 영역에 한정되지 않는다.

1. 주변 환경의 색깔, 빛, 깊이, 형태를 잘 파악하는 편인가? 그렇다면, 무엇을, 어떻게, 언제, 왜 그런지 기술하라. 그렇지 않다면, 무엇을, 어떻게, 언제, 왜 그렇지 않은지 기술하라.

2. 사물이나 상황이나 사람을 눈앞에 있는 것처럼 떠올릴 수 있는가? 그렇다면, 무엇을, 어떻게, 언제, 왜 그런지 기술하라. 그렇지 않다면, 무엇을, 어떻게, 언제, 왜 그렇지 않은지 기술하라.

3. 3차원 공간에 잘 적응하는 편인가? 복잡한 공간에서 기민하게 움직이는가, 아니면 여기저기 잘 부딪히는가? 그렇다면, 무엇을, 어떻게, 언제, 왜 그런지 기술하라. 그렇지 않다면, 무엇을, 어떻게, 언제, 왜 그렇지 않은지 기술하라.

4. 정리가 안 되어 있거나 지저분한 상태를 못 견디는 편인가? 그러한 상태를 볼 때, 마음이 편치 않은가? 그렇다면, 무엇을, 어떻게, 언제, 왜 그런

지 기술하라. 그렇지 않다면, 무엇을, 어떻게, 언제, 왜 그렇지 않은지 기술하라.

5. 그림이 벽에 비스듬히 걸려 있는 것과 같은 식으로 물건이 흐트러져 있으면, 주로 어떻게 하는가? 보는 즉시 바르게 정리하는가, 아니면 크게 신경 쓰지 않고 하던 일을 계속 하는가? 그렇다면, 무엇을, 어떻게, 언제, 왜 그런지 기술하라. 그렇지 않다면, 무엇을, 어떻게, 언제, 왜 그렇지 않은지 기술하라.

6. 사람들이 옷을 어울리게 잘 입었는지에 대해 신경을 쓰는 편인가? 그렇다면, 무엇을, 어떻게, 언제, 왜 그런지 기술하라. 그렇지 않다면, 무엇을, 어떻게, 언제, 왜 그렇지 않은지 기술하라.

7. 사람들이 옷을 단정하게 입었는지에 대해 신경을 쓰는 편인가? 단정하지 않은 경우, 신경이 쓰이는가? 그런 경우, 기분이 어떤가? 그렇다면, 무엇을, 어떻게, 언제, 왜 그런지 기술하라. 그렇지 않다면, 무엇을, 어떻게, 언제, 왜 그렇지 않은지 기술하라.

8. 사람들의 머리 색깔이나 옷 입은 스타일, 건강 상태를 신경 쓰는 편인가? 그렇다면, 무엇을, 어떻게, 언제, 왜 그런지 기술하라. 그렇지 않다면, 무엇을, 어떻게, 언제, 왜 그렇지 않은지 기술하라.

9. 그림을 그리거나 다이어그램을 만들거나 새로운 아이디어, 사업 계획, 창의적인 일 등을 할 때, 예술적으로 표현하는 편인가? 그렇다면, 무엇을, 어떻게, 언제, 왜 그런지 기술하라. 그렇지 않다면, 무엇을, 어떻게, 언제, 왜 그렇지 않은지 기술하라.

10. 아이디어가 많은 편인가? 아이디어로 무엇을 하는가? 그렇다면, 무엇을, 어떻게, 언제, 왜 그런지 기술하라. 그렇지 않다면, 무엇을, 어떻게, 언제, 왜 그렇지 않은지 기술하라.

11. 사람들이 이야기하거나 책을 읽을 때, 그 내용이 영화필름이 돌아가듯 머릿속에 떠오르는가? 그렇다면, 무엇을, 어떻게, 언제, 왜 그런지 기술하라. 그렇지 않다면, 무엇을, 어떻게, 언제, 왜 그렇지 않은지 기술하라.

12. 사람들과 이야기하다가도 갑자기 혼자 다른 세상에 있는 것처럼 멍하게 있을 때가 많은가? 그렇다면, 무엇을, 어떻게, 언제, 왜 그런지 기술하라. 그렇지 않다면, 무엇을, 어떻게, 언제, 왜 그렇지 않은지 기술하라.

13. 노래, 음악, 게임, 옷, 가구 등 무엇이든 만드는 것을 좋아하는가? 상상 속에서 해도 상관없다. 그렇다면, 무엇을, 어떻게, 언제, 왜 그런지 기술하라. 그렇지 않다면, 무엇을, 어떻게, 언제, 왜 그렇지 않은지 기술하라.

14. 낯선 장소라도 내비게이션의 안내를 따라 잘 찾아가는 편인가? 이것에 대해 자신이 있는가? 그렇다면, 무엇을, 어떻게, 언제, 왜 그런지 기술하라. 그렇지 않다면, 무엇을, 어떻게, 언제, 왜 그렇지 않은지 기술하라.

15. 처음 가는 길이라도 돌아올 때 길을 잘 찾아오는 편인가? 그렇다면, 무엇을, 어떻게, 언제, 왜 그런지 기술하라. 그렇지 않다면, 무엇을, 어떻게, 언제, 왜 그렇지 않은지 기술하라.

16. 길을 가다가 방향이 잘못됐을 때, 혼자서 잘 찾아가는 편인가? 내비게이션이 경로를 재조정할 때, 당황하지 않고 잘 따라가는가? 그렇다면, 무엇을, 어떻게, 언제, 왜 그런지 기술하라. 그렇지 않다면, 무엇을, 어떻게, 언제, 왜 그렇지 않은지 기술하라.

_____

_____

_____

17. 문제가 생겼을 때, 해결책이 쉽게 떠오르는가? 그렇다면, 무엇을, 어떻게, 언제, 왜 그런지 기술하라. 그렇지 않다면, 무엇을, 어떻게, 언제, 왜 그렇지 않은지 기술하라.

_____

_____

_____

18. 자신의 아이디어를 다른 사람이 이해할 수 있도록 글이나 몸짓으로 잘 표현하는가? 그렇다면, 무엇을, 어떻게, 언제, 왜 그런지 기술하라. 그렇지 않다면, 무엇을, 어떻게, 언제, 왜 그렇지 않은지 기술하라.

_____

_____

_____

19. 이미지 중심적인 사고를 하는 편인가? 예를 들어 고양이를 생각할 때, 고양이 이미지와 고양이라는 단어 중 이미지가 먼저 떠오르는가? 그렇다면, 무엇을, 어떻게, 언제, 왜 그런지 기술하라. 그렇지 않다면, 무엇을, 어떻게, 언제, 왜 그렇지 않은지 기술하라.

20. 가구나 방, 물건 배치를 할 때, 머릿속으로 구상을 잘 하는가? 그렇다면, 무엇을, 어떻게, 언제, 왜 그런지 기술하라. 그렇지 않다면, 무엇을, 어떻게, 언제, 왜 그렇지 않은지 기술하라.

21. 입체적으로 생각하는 편인가? 예를 들어, 실제 기어를 움직이는 것처럼 자동차의 기어를 다른 부품과 끼워 맞춰 보는 상상을 하는 식으로 물건을 움직이거나 조작할 때 그것이 어떻게 달라질지 미리 상상할 수 있는가? 그렇다면, 무엇을, 어떻게, 언제, 왜 그런지 기술하라. 그렇지 않다면, 무

엇을, 어떻게, 언제, 왜 그렇지 않은지 기술하라.

_____
_____
_____
_____

22. 정보를 이해하고 정리하고 다룰 때, 도표 사용하는 것을 좋아하는가? 예를 들어 어떤 개념을 설명할 때, 그래프나 차트를 사용하는가? 그렇다면, 무엇을, 어떻게, 언제, 왜 그런지 기술하라. 그렇지 않다면, 무엇을, 어떻게, 언제, 왜 그렇지 않은지 기술하라.

_____
_____
_____
_____

23. 좁은 공간을 지나거나 복잡한 도로를 주행하거나 주차할 때, 어려움 없이 잘 하는가? 그렇다면, 무엇을, 어떻게, 언제, 왜 그런지 기술하라. 그렇지 않다면, 무엇을, 어떻게, 언제, 왜 그렇지 않은지 기술하라.

_____
_____

24. 지도를 잘 보는 편인가? 전자지도보다 종이지도를 잘 보는가, 아니면 그 반대인가? 그렇다면, 무엇을, 어떻게, 언제, 왜 그런지 기술하라. 그렇지 않다면, 무엇을, 어떻게, 언제, 왜 그렇지 않은지 기술하라.

25. 블록 쌓기나 종이접기, 모형 만들기를 좋아하는가? 그렇다면, 무엇을, 어떻게, 언제, 왜 그런지 기술하라. 그렇지 않다면, 무엇을, 어떻게, 언제, 왜 그렇지 않은지 기술하라.

26. 복잡한 퍼즐 맞추기를 좋아하는가? 그렇다면, 무엇을, 어떻게, 언제, 왜 그런지 기술하라. 그렇지 않다면, 무엇을, 어떻게, 언제, 왜 그렇지 않은

지 기술하라.

27. 포토 콜라주, 스크랩북을 만들거나 사진첩에 넣을 사진을 고르는 것과 같은 활동을 좋아하는가? 그렇다면, 무엇을, 어떻게, 언제, 왜 그런지 기술하라. 그렇지 않다면, 무엇을, 어떻게, 언제, 왜 그렇지 않은지 기술하라.

28. 슬라이드쇼 프레젠테이션 만드는 것을 좋아하는가? 그렇다면, 무엇을, 어떻게, 언제, 왜 그런지 기술하라. 그렇지 않다면, 무엇을, 어떻게, 언제, 왜 그렇지 않은지 기술하라.

29. 특별한 추억을 남기기 위해 사진이나 영상 촬영하는 것을 좋아하는가? 그렇다면, 무엇을, 어떻게, 언제, 왜 그런지 기술하라. 그렇지 않다면, 무엇을, 어떻게, 언제, 왜 그렇지 않은지 기술하라.

30. 포스터나 벽화 디자인, 게시판이나 웹 사이트 꾸미는 것을 좋아하는가? 이런 것에 관심이 많고, 세밀한 차이점을 알아차릴 수 있는가? 그렇다면, 무엇을, 어떻게, 언제, 왜 그런지 기술하라. 그렇지 않다면, 무엇을, 어떻게, 언제, 왜 그렇지 않은지 기술하라.

31. 무언가를 듣고 이해하려 할 때, 그 내용이 머릿속에서 그림이나 이미지의 형태로 떠오르는가? 그렇다면, 무엇을, 어떻게, 언제, 왜 그런지 기술하라.

그렇지 않다면, 무엇을, 어떻게, 언제, 왜 그렇지 않은지 기술하라.

32. 책을 읽고 난 직후에 읽은 내용을 쉽게 기억하는 편인가? 그렇다면, 무엇을, 어떻게, 언제, 왜 그런지 기술하라. 그렇지 않다면, 무엇을, 어떻게, 언제, 왜 그렇지 않은지 기술하라.

33. 건축 도면과 같이 복잡한 것을 그리는 것을 좋아하는가? 그렇다면, 무엇을, 어떻게, 언제, 왜 그런지 기술하라. 그렇지 않다면, 무엇을, 어떻게, 언제, 왜 그렇지 않은지 기술하라.

34. 영화나 광고 찍는 것을 좋아하는가? 그렇다면, 무엇을, 어떻게, 언제, 왜 그런지 기술하라. 그렇지 않다면, 무엇을, 어떻게, 언제, 왜 그렇지 않은지 기술하라.

35. 색상, 크기, 모양의 변화를 잘 알아보는 편인가? 예를 들어, 어떤 방에 들어갔을 때 한눈에 실내 인테리어나 가구, 색상 등을 파악하는가? 그렇다면, 무엇을, 어떻게, 언제, 왜 그런지 기술하라. 그렇지 않다면, 무엇을, 어떻게, 언제, 왜 그렇지 않은지 기술하라.

36. 무엇이든 색깔과 연관 지어 생각하는 편인가? 예를 들어, 일요일은 빨강, 월요일은 파랑과 같은 식으로 사람과 장소 등을 생각할 때 특정한 색

깔이 떠오르는가? 그렇다면, 무엇을, 어떻게, 언제, 왜 그런지 기술하라. 그렇지 않다면, 무엇을, 어떻게, 언제, 왜 그렇지 않은지 기술하라.

37. 모노폴리와 같은 보드게임을 좋아하는가? 그렇다면, 무엇을, 어떻게, 언제, 왜 그런지 기술하라. 그렇지 않다면, 무엇을, 어떻게, 언제, 왜 그렇지 않은지 기술하라.

38. 삽화, 스케치, 조각 등 다양한 형태의 예술품을 만드는 자신의 능력에 점수를 준다면, 보통, 잘함, 뛰어남 중 어느 정도인가? 이에 대해 무엇을, 어떻게, 언제, 왜 그런지 기술하라.

39. 컴퓨터, 스마트폰, 태블릿 사용을 즐기는가? 그렇다면, 무엇을, 어떻게, 언제, 왜 그런지 기술하라. 그렇지 않다면, 무엇을, 어떻게, 언제, 왜 그렇지 않은지 기술하라.

40. 프레젠테이션이나 강의할 때, 주로 컴퓨터나 프로젝터를 사용하는가? 그렇다면, 무엇을, 어떻게, 언제, 왜 그런지 기술하라. 그렇지 않다면, 무엇을, 어떻게, 언제, 왜 그렇지 않은지 기술하라.

41. 무언가를 설명하거나 가르치거나 강의할 때, 칠판, 차트, 아이패드 등을 사용하는가? 그렇다면, 무엇을, 어떻게, 언제, 왜 그런지 기술하라. 그렇

지 않다면, 무엇을, 어떻게, 언제, 왜 그렇지 않은지 기술하라.

42. 눈을 감고 생각하거나 무언가를 듣고 있을 때, 눈으로 보는 것처럼 선명하게 그림이 그려지는가? 그렇다면, 무엇을, 어떻게, 언제, 왜 그런지 기술하라. 그렇지 않다면, 무엇을, 어떻게, 언제, 왜 그렇지 않은지 기술하라.

43. 우리가 잠들기 전에 보고 생각한 것, 집중해서 한 일은 꿈에 영향을 미친다. 그런데 어떤 사람들은 다른 사람들보다 더 생생하게 꿈을 꾸고, 꿈 내용도 실제 상황처럼 거의 기억을 한다. 당신도 그런가? 그렇다면, 무엇을, 어떻게, 언제, 왜 그런지 기술하라. 그렇지 않다면, 무엇을, 어떻게, 언제, 왜 그렇지 않은지 기술하라.

44. 종이에 그림을 그리거나 낙서하는 것을 좋아하는가? 중요한 통화를 하거나 강의를 들을 때처럼 특별히 집중해야 하는 상황일 때 더 그런가? 그렇다면, 무엇을, 어떻게, 언제, 왜 그런지 기술하라. 그렇지 않다면, 무엇을, 어떻게, 언제, 왜 그렇지 않은지 기술하라.

45. 무언가를 듣거나 집중하고 싶을 때, 강사나 교사나 사람들의 얼굴을 보는 것이 불편한가? 그것이 집중하는 데 방해가 되는가? 그렇다면, 무엇을, 어떻게, 언제, 왜 그런지 기술하라. 그렇지 않다면, 무엇을, 어떻게, 언제, 왜 그렇지 않은지 기술하라.

46. 무언가를 보거나 관찰할 때, 더 쉽게 배우는 편인가? 그렇다면, 무엇을, 어떻게, 언제, 왜 그런지 기술하라. 그렇지 않다면, 무엇을, 어떻게, 언제, 왜 그렇지 않은지 기술하라.

_____
_____
_____
_____

47. 세부적인 정보를 설명하기 위해 시각적 이미지를 자주 사용하는가? 그렇다면, 무엇을, 어떻게, 언제, 왜 그런지 기술하라. 그렇지 않다면, 무엇을, 어떻게, 언제, 왜 그렇지 않은지 기술하라.

_____
_____
_____
_____

48. 종이를 접어서 복잡한 모양을 만들고, 그것의 새로운 형태를 상상하는 것을 잘 하는가? 그렇다면, 무엇을, 어떻게, 언제, 왜 그런지 기술하라. 그렇지 않다면, 무엇을, 어떻게, 언제, 왜 그렇지 않은지 기술하라.

_____
_____
_____
_____

49. 사물이나 상황을 다양한 각도와 새로운 관점으로 볼 수 있는가? 그렇다면, 무엇을, 어떻게, 언제, 왜 그런지 기술하라. 그렇지 않다면, 무엇을, 어떻게, 언제, 왜 그렇지 않은지 기술하라.

50. 물건이나 가구, 구름 등의 모양을 볼 때, 확실한 차이와 미묘한 차이를 모두 볼 수 있는가? 그렇다면, 무엇을, 어떻게, 언제, 왜 그런지 기술하라. 그렇지 않다면, 무엇을, 어떻게, 언제, 왜 그렇지 않은지 기술하라.

작성한 답변을 읽고, 당신의 시각·공간 모듈은 어떤지 요약해 보라. 요약하면서 내용을 고치거나 보충하고 싶다면, 그렇게 하라. 그것은 정상적이고 바람직한 자기규제 과정이다. 요약을 한 후에는 자신이 쓴 내용에 동의하는지, 덧붙일 내용은 없는지 점검해 보라. 그리고 스스로에게 "내가 정말 이런 식으로 생각하는가? 다른 사람에게 보이기 위한 것인가, 아니면 정직하게 답한 것인가?" 자문해 보라.

사람들과 소통하고 어울리고 일상생활 능력을 향상시키기 위해 시각·공간 메타인지를 어떻게 사용할지에 대해 쓰라. 당신은 온전히 당신 자신일 때, 더 좋아질 수 있다.

2. '완전한 나' 체크리스트

'완전한 나' 체크리스트는 매우 쉽고 간단하다. 그러나 간단하다는 이유로 그 중요성을 외면해서는 안 된다. 이 체크리스트는 '완전한 나'의 상태를 유지하기 위해 우리가 무엇을 생각하고, 느끼고, 선택하고, 말하고, 행동해야 하는지를 알려 주는 매우 유용한 도구이다. 선택하기 전, 선택하는 중, 선택한 후에 체크리스트를 활용해 보라. 체크리스트의 도움으로 당신은 UQ 검사를 통해 더 자세히 알게 된 '완전한 나' 안에 머물며 올바른 결정을 내릴 수 있을 것이다.

'완전한 나'를 활성화하는 가장 빠른 방법은 이 체크리스트를 매일 확인하는 것이다. 매일 자신의 생각을 능동적으로 규제하고, 자신의 영·혼·육의 상태를 의도적으로 인식해 보라. 이렇게 할 때, 당신은 능동적 자기규제(의식 차원)와 역동적 자기규제(무의식 차원)의 상호교류를 촉진시킬 수 있다.

능동적 자기규제와 역동적 자기규제의 상호교류는, 우리가 고도의 지적 차원에서 깊이 생각할 때 이루어지는 일이다. 이를 위해 체크리스트를 수시로 읽고 스스로 점검하라. 아예 질문들을 통째로 외우고 자문하는 것을 습관화하는 것도 좋다.

63일 동안 매일같이 연습하라. 그리고 삶의 모든 영역(관계, 지식, 직업, 학습, 사회성, 감정 등)에서 어떤 변화가 나타나는지 관찰해 보라. 그렇게 63일이 지나면, 당신은 이 작업을 거의 자동적으로 수행하게 될 것이다. 또한 의식적으로 '완전한 나'를 따라 살며, 자신이 하는 일에 효율성과 전문성을 도모할 수 있다. 무엇보다 당신은 성령님과 끊임없는 내적 대화를 이어갈 것이다!

당신은 문자 그대로 '쉬지 않고' 기도하게 된다. 그리고 사랑에만 반응하는 '완전한 나'의 거룩한 디자인에 따라 말하고 행동하게 된다. 당신은 하나님의 형상을 나타내기 시작하며, 그분의 영광을 발산하게 될 것이다. 인생의 남은 나날 동안 거룩한 목적의식을 고취하게 될 것이다. 그 결과, 당신이 소망하고 꿈꿔 왔던 것보다 훨씬 더 높고, 깊고, 원대한 삶이 될 것이다.

다중 관점의 유익

다중 관점의 유익MPA은 자신을 객관적으로 바라볼 수 있는 능력이다. 이와 관련하여 '외부인으로서' 자신의 생각을 관찰할 수 있는가가 관건이다. 물론, 이것은 가능하다. 단, 의식이 각성되어 우리가 의도적으로 깊은 생각에 잠길 때 가능하다. MPA는 뇌의 전두엽을 자극하기 때문에 그 결과 마음의 회로망이 활성화된다.

의식적으로 그리고 의도적으로 MPA를 활성화하라. 자신의 생각을 객관적으로 관찰하라. 객관적인 관찰자의 입장에서 자신에게 다음의 질문을 던지고 자신을 살펴보라.

- 나는 마음속으로 무엇을 생각하고 느끼고 결정하는가? 지금 내 몸은 마음의 생각과 느낌과 선택에 어떻게 반응하는가?

- 지금 나는 의도적으로 '능동적 자기규제'(의식적인 생각, 느낌, 선택)를 활용하는가?

- 지금 내게 유입되는 정보들에 대해 능동적으로 자기규제 하는가?

- 지금 나는 장차 장기 기억(내면의 기억)으로 전환될 생각들을 능동적으로 자기규제 하는가?

- 지금 성령께서 나의 자기규제(역동적, 능동적)를 이끌어 주시길 간구하는가?

- 지금 외부에서 유입되는 정보 및 마음에서 일어나는 정보들에 대한 나의 생각을 능동적으로 자기규제 하는가?

- 지금 내가 느끼는 감정들을 능동적으로 자기규제 하는가?

- 지금 나의 어조와 얼굴표정과 몸짓을 능동적으로 자기규제 하는가?

무언가를 선택하기 전, 감사와 찬양과 경배의 연습을 시행하라. 짧은 버전과 긴 버전 중 어느 것이든 괜찮다. 아래에 제시한 '감사, 찬양, 경배의 연습'을 참조하라.

이제 당신의 능력과 사랑과 절제하는 마음을 활용하여 선택하고 창조하라!

감사, 찬양, 경배 연습

긴 버전

1. **하나님께서 알려 주신 문제점 인식** – 향후 63일 동안 어떤 부분(특히 자신의 문제점)을 집중적으로 다뤄야 할지 하나님께 여쭈라.

2. **유해한 나무 내려놓기** – 그 문제점을 '유해한 나무'라고 생각하고 머릿속으로 그려 보라. 이제 그 유해한 나무를 당신의 손에 올려놓은 후 주님의 발아래에 내려놓으라. 상상 속에서 이 작업을 해도 좋고, 실제로 나무를 하나님의 발아래에 내려놓는 동작을 해보는 것도 좋다.

3. **죄 고백과 회개** – 그 문제점이 '죄'임을 인정하고 고백하라. 회개하고 하나님의 용서를 받아들이라.

4. **결단** – 무릎을 꿇은 채, 그 유해한 나무를 은혜의 보좌 아래에 내려놓으라. 다시 그 나무를 집어 들어선 안 된다.

5. **감사제목 선포** – 자신의 문제점과 연관된 감사제목을 다섯 가지 정

도 떠올리고 입을 열어 "주님, 이러이러한 이유로 감사드립니다"라고 고백하라. 할 수 있는 한, 구체적으로 감사제목을 떠올리고 선포하라. 연구 결과에 따르면, 감사제목이 구체적일수록 치유는 더 빨리 일어난다.

6. <u>찬양</u> - 이후 두 손을 꼭 쥔 채 자리에서 일어서라. 예수님은 우리의 찬양 가운데 거하시기 때문에, 주께서 당신의 손을 잡아 일으켜 주실 것이다. 이때 예수님께서 당신의 손을 붙잡아 주시는 장면을 상상해도 좋다.

머릿속으로 떠올린 다섯 가지 감사제목을 다섯 문장의 선포의 말씀으로 바꾸어 주님을 송축하라. "주님, 이러이러한 이유로 주님을 찬양합니다!" 다시 한 번 강조하지만, 구체적인 이유를 들어 주님을 찬양하는 것이 중요하다.

이때 주님께서 알려 주신 문제점에만 집중해야 한다. 혹 다른 문제를 다루고픈 마음이 생길 수도 있는데, 그러한 유혹에 빠지지 않도록 주의하라.

7. <u>경배</u> - 찬양이 끝났다면, 이제 두 손을 들고 하나님을 경배하라. 오직 하나님께만 집중하라. 당신의 문제점은 조금도 신경 쓰지 말고, 100% 하나님께만 집중해야 한다.

짧은 버전

1. 하나님께서 도와주심에 감사드리라.

2. 지금 하나님께서 당신과 함께 계심을 믿고 찬양을 드리라.
3. 당신에게 필요한 지혜를 활성화시켜 주실 것을 믿고 하나님을 경배하라.

3. 메타인지 모듈 훈련

우리가 '완전한 나'를 찾고, 그 모습대로 살기 위해서는 꾸준한 노력이 필요하다. 나는 이 과정을 실질적으로 돕기 위해 메타인지 모듈 훈련을 개발하였다. 이 훈련의 목적은 다음과 같다.

- '완전한 나'의 상태에서 어떻게 생각하고, 느끼고, 선택하는지를 깨닫기 위해
- 보다 나은 방법으로 일곱 가지 메타인지 모듈을 사용하고, 메타인지 모듈 간의 상호교류를 증진시키기 위해
- '완전한 나'를 이탈하는 때가 언제인지를 알기 위해
- 지적 능력을 높이기 위해

훈련 사용법

메타인지 모듈 훈련을 하기 원하는가? 그렇다면, 아래의 순서에 따라 처음부터 끝까지 훈련할 것을 권한다. 각 항목에 대해 당신이 느끼는 필요에 따라 되도록 많은 시간을 할애하여 훈련하라. 매일같이 '완전한

나' 체크리스트로 자신의 상태를 점검한 후, 시간을 내어 이 훈련을 진행하기 바란다.

아래에 총 일곱 가지(내면 성찰, 대인관계, 언어, 논리·수학, 운동감각, 음악, 시각·공간)의 훈련을 소개한다. 각 단위의 훈련은 일곱 가지 메타인지 모듈을 강화하는 데 목적을 두고 있는데, 이를 위해 각 단위의 훈련마다 세부 지침을 적어 두었다.

내가 당신에게 줄 수 있는 최고의 조언은 매일 또는 일주일에 한 가지씩 시행해 보라는 것이다. 무엇보다 당신에게 가장 알맞은 훈련방법을 취하는 것이 중요하다. 그 모든 과정을 전부 시행한 후에는 반복해야 한다. 왜냐하면 이것은 한 번 해본 후 까맣게 잊어버리는 훈련이 아니기 때문이다. 이것은 '완전한 나' 안에 머물며 삶을 개선하기 위해 의도적으로 생활방식을 바꾸는 훈련이다. 이 훈련은 삶의 방식을 바꿔 지속적인 성장을 도모하는 노력이 필요한 매우 엄격한 훈련임을 명심하라.

훈련을 성공적으로 실행하기 위해 한 가지 조언을 하겠다. 매일 아침, 잠에서 깨는 대로 그날의 훈련 과제 내용을 읽은 후 그것을 스마트폰의 메모장이나 수첩에 옮겨 적으라. 그리고 일과 중에 그 과제를 수행하기 바란다.

혹시 '21일 두뇌 해독 플랜'(www.21daybraindetox.com 또는 《뇌의 스위치를 켜라》[순전한 나드 출간] 참조)을 시행하고 있다면, 이 훈련은 다섯 번째 단계 '적극적 발돋움'에 포함될 것이다.

내면 성찰 훈련

여기, 마음의 생각 모드를 한층 향상시킬 방법이 있다. 조용한 시간을 내어, 당신에게 유입되는 모든 정보를 분석해 보라. 당신의 마음속에서 일어나는 일들에 집중하라. 그리고 깊은 사색(생각) 모드로 들어가라.

1. **평상시 자신이 어떻게 말하는지 살펴보라.** 예를 들어, 발성은 어떤지, 목소리 톤은 어떤지 확인해 보는 것이다. 전달하려는 바를 표현하기 위해 어떤 어휘를 선택하는지도 주의하여 살펴보라. 또 대화할 때 얼굴 표정은 어떤지, 자신의 표정에 상대방은 어떤 반응을 보이는지도 확인하라. 이렇게 관찰한 결과를 일기장에 기록하면 많은 도움이 될 것이다.

2. **평상시 어떤 생각을 하는지 점검해 보라.** 가능한 모든 생각을 사로잡아 그리스도께 복종시켜라. 점검하지 않은 채, 그냥 흘러가는 생각이 없도록 주의하라. 대신, 잡다한 생각은 멈추라. 생각을 의도적으로 선택하라.

3. **당신의 직관을 분석하라.** 여기서 직관은 사물을 볼 때, 바로바로 떠오르는 느낌(직감)을 말한다. 당신이 직관에 이끌림 받는다는 생각이 든다면, 자신의 생각 속에서 어떤 일이 일어나고 있는지 점검해 보라. 당신의 직관이 맞을 때, 어떤 느낌을 받는가? 그 결과 당신의 마음은 좀 더 예리해지는가?

4. 하루 중 단지 생각만 하기 위해 혼자 있을 시간을 7회 정도 마련해 보라. 휴대전화기, 컴퓨터, 사람들, 그 외 다른 방해요소로부터 스스로를 격리시키라. 조용히 자리에 앉아 생각만 할 수 있어야 한다. 처음에는 매회 1-2분 정도 시행하는 것이 좋다. 1-2분 정도 잠잠히 앉아 생각만 하는 것이다. 아마 처음에는 결코 쉽지 않을 것이다. 그래도 꾸준히 연습해 보라. 조용히, 깊게 생각하는 동안 당신은 마음속에 '생각의 기둥'을 세우게 된다. 이 훈련은 자아성찰, 자아발견 및 자신의 감정, 생각, 직관을 이해하는 데 매우 요긴하다.

5. 자신이 꾸었던 꿈 내용을 종이에 적고, 성령께서 그 꿈에 대해 어떻게 말씀하시는지 들어보라. 주님의 음성을 듣기 위해 이런저런 방해요소는 제거하고, 주님께 꿈을 통해 말씀해 달라고 간구해야 할 것이다. 이렇게 하는 것이 낯설게 느껴지면, 이번 주에 꾸었던 꿈 내용만 성령님께 여쭤 보라. 그 다음 주에도, 또 그 다음 주에도 멈추지 말고 이 훈련을 이어가라.

6. 옛 아이디어와 새 아이디어를 비교하라. 이를테면, 다른 사람의 새로운 사업 아이템에 관한 글을 읽었다고 하자. '나라면 이 사업을 어떻게 운영할까?' 자문해 보며 당신이 생각했을 법한 사업 아이디어와 그 사람의 새로운 아이디어를 비교하는 것이다.

만일 당신이 "나는 하루 세 끼는 꼬박꼬박 챙겨 먹어야 해"라고 생각해 왔다면, 이틀마다 한 끼씩 금식해 보라. 이것은 옛 아이디어와 새 아이디어를 비교해 보는 괜찮은 방법이다.

어떤 특정 사안에 대해 강력한 의견을 갖고 있다면, 정반대의 입장에 서서 자신의 의견을 반박해 보라. 이처럼 전과 다른 시각으로 사물과 상황을 바라보고 이해하는 것이 중요하다.

7. UQ 검사를 통해 자신에 대해 연구하고 '정신적 자기 검진'을 시행해 보라. 먼저, UQ 검사 결과를 분석해 보라. 자신이 어떻게 생각을 전개하는지를 살펴보며, 하나님께서 당신을 얼마나 독특하게 창조하셨는지 이해하기 바란다. 이것은 매우 단순한 훈련이다. 몇 시간을 들여 UQ 검사 결과를 살필 필요가 없다. 하나님께서 당신을 놀랍고, 독특하고, 완전하게 창조하셨다는 사실만 인식하면 된다. 그것이 바로 당신의 '완전한 나'이다!

대인관계 훈련

아래에는 생각의 대인관계적 측면을 한층 업그레이드할 방안들을 설명해 두었다. 우리는 아이디어를 전달하기 위해 다른 사람을 만난다. 이때 상대방과의 대화를 통해 내 생각을 전달하고 그의 생각을 전달받는데, 어떻게 하면 '좋은 생각'을 보다 효과적으로 전달하고 전달받을 수 있을지 살펴보겠다.

1. 들은 이야기를 다시 전하는(개작) 훈련을 하라. 예를 들어, 당신이 본 영화나 소설의 내용을 다른 사람에게 전하되, 가능한 자세히 설명해 보는 것이다. 이후 자신이 받은 감동과 느낌과 생각을 나누고, 그 주제

에 대해 토론해 보라. 이것을 위해 굳이 많은 시간을 들일 필요는 없다. 다른 사람에게 자신의 생각을 말하면 된다. 핵심은 토론 중 자신의 생각이 어떻게 전개되는지 살펴봐야 한다는 것이다.

2. <u>어려움에 처한 사람들을 위로하며, 그들이 편안함을 느낄 수 있도록 이야기해 보라.</u> 이를테면, 힘든 일을 겪은 친구나 직장 동료를 찾아가 격려해 주는 것이다. 그가 어떤 감정을 갖고 있는지 살펴보라. 그리고 그 같은 상황에서 어떻게 대처하는 것이 좋을지 자신의 의견을 전달해 보라.

3. <u>사람들과 '오붓한 시간'(값진 시간)을 보내도록 연습하라.</u> 한동안 연락 없이 지냈던 친구를 불러내 함께 점심식사를 하거나 차를 마시며 대화해 보라. 만나는 것이 어렵다면 전화로 깊은 대화를 나누고, 그것도 여의치 않다면 문자 메시지를 보내는 것도 괜찮다.

4. <u>상대방의 말을 끊지 말고 들어 보라.</u> 어떻게 대답할지 생각하지 않은 채, 상대방의 말을 끝까지 들어 보는 것이다. 우리에게는 이러한 훈련이 필요하다. 매일, 적어도 두 번씩은 그렇게 해보라. 상대방이 하는 말을 적극적으로 듣고, 있는 그대로 수용해 보라.

5. <u>말하는 양의 두 배 정도는 들어야 한다.</u> 상대방이 말을 많이 하게 하라. 듣는 동안, 상대방의 말에만 집중하고 자신의 머릿속에 떠오르는 생각에는 집중하지 말라. 상대방의 입장이 되어 보라. 또 상대방의 말

을 들으며 그의 머릿속에서 의식이 어떻게 전개되는지 그 흐름을 추적해 보라.

6. '만약에' 게임을 해보라. 이 게임은 자신의 마음이 어디로 향하는지 살펴보는 '열린 결말'을 탐구하는 게임이다. 혼자 해도 좋고, 사람들과 같이 해도 좋다.

당신의 마음이 흘러가는 방향은 정해져 있지 않다. 그러므로 이 게임은 매우 창조적인 게임이라고 할 수 있다. 그러나 단순한 게임은 아니다. 어디까지나 훈련이다! 게임 중 당신은 자신의 말과 생각을 주의 깊게 관찰해야 한다. 당신은 '만약에'로 시작하는 질문을 던져야 하고, 그에 대한 답도 생각해 내야 한다. 일단 단순한 질문부터 시작해 보라. "만약에 내가 다른 길로 운전하여 출근했다면, 나의 하루는 어떻게 달라졌을까?"

다음과 같이 엉뚱한 질문을 던져보는 것도 좋다. "만약에 내가 마법 양탄자를 타고 출근한다면?" 이 게임의 핵심은 '상상'을 이용한 머릿속 생각의 탐구이다. 그래서 결말을 열어 둔 채, '만약에'라는 질문을 던지며 상상해 보라는 것이다.

7. 잠시 시간을 내어, 당신이 잘하는 일을 다른 사람에게 가르쳐 보라. 당신의 은사, 재능, 기술을 통해 사람들이 유익을 얻을 수 있다. 지도를 받기 원하고 멘토링을 바라는 사람을 찾아가 능수능란한 솜씨로 자신의 경험을 이야기해 줘라. 이를 위해 많은 시간을 할애할 필요는 없다. 단지 사람들과 교류하고, 당신이 아는 지식을 전하면 된다.

언어 훈련

우리의 생각을 표현할 방법은 많다. 그중 대표적인 것이 언어이다. 이번에는 언어 능력을 향상시키는 훈련이다. 우리는 말을 훈련하여 생각의 언어적 측면을 개선할 수 있다. 생각을 개선하기 위한 언어 훈련에는 머릿속 생각을 말로 표현하는 훈련, 질문, 상대방의 말을 요약해서 재진술하는 훈련, 생각을 글로 표현하는 훈련, 언어로 생각하는 훈련, 독서 등이 있다.

1. <u>사람들의 말이나 TV 등의 매체를 통해 당신이 들은 내용을 재진술해 보라</u>. 들은 말 중 기억나는 구절을 반복해도 좋고, 가능하다면 문장이나 단락까지 완벽하게 암기하여 개작해도 좋다. 이것은 당신에게 유입된 정보를 언어적 사고를 통해 수용한 후 말의 형태로 표현하는 작업이다. 일단 한 번 해본 후, 반복 시행하여 다듬어가기 바란다. 어쩌면 함께 연습하고 모니터링 해줄 파트너가 필요할 수도 있다. 간단한 훈련이기 때문에 오랜 시간을 들일 필요는 없다. 짧은 시간 동안 하되, 매일 하는 것이 중요하다.

2. <u>공부할 때나 무언가에 집중할 때, 머릿속에 떠오르는 생각들을 종이에 적어 보라</u>. 강의, 회의, 설교를 들으며 내용을 노트에 적어 보라. 정보 전달을 목적으로 하는 서적이나 신문 기사를 읽으면서 내용을 요약하여 적어 보라. 거기에 제시된 정보뿐 아니라 그에 대한 당신의 의견이나 느낌을 함께 적는 것이 중요하다. 이렇게 하는 것은 일상을 바꾸는 일이므

로 부담이 될 수도 있다. 하지만 생각의 언어적 측면을 개선하는 데 확실히 도움이 된다.

3. **독서하라!** 책을 읽으라! 독서야말로 언어적 사고능력을 가장 빠르고 효과적으로 향상시키는 방법이다. 독서는 일상에 장착되어야 할 매우 좋은 습관이다. 좋은 책을 고르라. 아직 읽어 보지 못한 책도 좋고, 여러 번 읽어 본 책도 좋다. 책을 읽고 정보를 수용하는 과정을 즐기라.

4. **다양한 장르의 글을 읽으라.** 신문부터 소설에 이르기까지, 시사 잡지도 좋고 만화책도 좋다! 다양한 주제를 넘나들며 마음껏 읽으라. 읽고 또 읽고, 또 읽으라. 평상시에는 손대지 않을 법한 내용의 글을 고르는 것도 좋다. 문학적 소양을 넓혀 다양한 장르를 섭렵하라. 굳이 오랜 시간을 쏟을 필요는 없다. 매일 다양한 장르의 짤막한 글을 한 편씩 읽으면 된다.

5. **어휘를 늘려라.** 매일 새 단어를 공부하라. 한 단어씩 암기하면 1년에 365개의 새 어휘를 얻게 된다. 그리고 다양한 상황과 문맥 속에서 새로 습득한 어휘를 사용해 보라. 이 단순한 훈련을 너무 복잡하게 만들면 안 된다. 당신이 학습한 새 어휘로 짧은 문장 몇 개를 만들어 보는 것이 좋다.

6. **트리비얼 퍼수트 게임**지리, 연예, 역사 등 다양한 분야의 퀴즈를 맞히는 보드게임 – 역자 주, **스크래블 게임**225개의 칸으로 구성된 놀이판에 알파벳이 새겨진 조각들을 배열하여 단어를 이어가는 게

임 – 역자 주, **클루 게임**단서를 활용하여 살인사건의 용의자들을 탐문하여 범인을 잡는 게임 – 역자 주, **제너럴 널리지 게임**퀴즈를 맞히는 게임 – 역자 주 등의 언어 연관 보드게임을 해보라. 언어의 근간을 이루는 스물여섯 개의 알파벳으로 게임을 즐기며 가족과 즐거운 시간을 보내라.

7. <u>가로세로 낱말 맞추기를 하라.</u> 한 주 동안 매일 가로세로 낱말 맞추기를 해보라. 퍼즐 게임을 하며 새로운 어휘를 공부하고, 자신이 습득한 단어를 종이에 적어가며 암기해 보라. 이를 통해 언어적 사고를 훈련하고, 어휘를 확장해 가는 재미를 느껴 보라.

논리·수학 훈련

이성적 추론, 분석, 전략 수립 등의 행위는 논리·수학적 사고체계를 강화시켜 준다.

1. <u>당신이 하는 모든 일을 수치화(계량화)해 보라.</u> 어떤 활동에 얼마만큼의 시간을 할애하는지 분석해 보라. 하루 중 식사, 대화, SNS 등에 얼마나 많은 시간을 사용하는가? 이것은 간단한 질문과 답으로 구성된, 매우 단순한 훈련이다. 하지만 심오한 훈련이다. 질문에 답하면서 당신은 아마 깜짝 놀랄 것이다.

2. <u>당신이 어떤 일에 흥미를 갖는지, 또 어떤 일에 흥미를 갖지 못하는지, 스스로에게 물어보라.</u> 이번 주부터 스스로에게 묻는 연습을 시작해

보라. '호기심을 충족하리라' 다짐하고, 자신이 흥미를 갖는 일 또는 흥미를 갖지 못하는 일에 대해 여러 가지 질문을 만들어 스스로 답해 보기 바란다. 그리고 당신의 답에 논리적·수학적 사고 패턴이 나타나는지 확인해 보라. 논리의 연결고리를 따라 생각해 보라. 물론, 이 훈련을 너무 복잡하게 만들어서는 안 된다. 이 훈련은 습관처럼 단순해야 한다.

3. 예측하는 연습을 해보라. 예를 들어, "특정 장소에 도착하기까지 얼마나 많은 시간이 걸릴 것인가?" "머리 손질은 언제쯤 끝날 것인가?" "이 임무를 완수할 때까지 얼마나 많은 시간이 소요될 것인가?" "점심시간까지 혹은 퇴근시간까지 얼마나 오래 기다려야 하는가?" 등을 예측해 보는 것이다. 이후 당신의 예측이 맞는지 시계를 보며 확인하라.

4. 당신이 좋아하는 스포츠 팀의 성적(기록)을 외워 보라. 이미 알고 있는 기록들을 되뇌어 보고, 새로운 통계를 암기해 보기 바란다. 만일 특정 스포츠의 기록(야구를 예로 들면, 타율, 출루율, 방어율 등)에 대해 모른다면, 가족에게 묻거나 인터넷을 검색해 보기 바란다.

5. 머릿속으로 계산하는 게임을 해보라. 예를 들어, 당신이 버스를 탔다면, 창밖으로 보이는 옆 차선의 자동차 번호판을 보며 거기 적힌 숫자를 합산해 보는 것이다. 수도쿠 가로, 세로 모두 9칸으로 이루어진 표에 1부터 9까지의 숫자를 논리적으로 채워 넣는 숫자퍼즐 게임 – 역자 주 나 이와 비슷한 종류의 숫자 게임을 해보는 것도 좋다.

6. 당신이 원하는 정보를 조각조각 나누어 암기해 보라. 일단은 암기한 후, 그 정보를 완전히 이해할 때까지 다른 사람에게 또는 자기 자신에게 그 정보와 관련된 여러 가지 질문들을 던져 보라. 확실히 이해하기까지 다양한 각도에서 그 정보를 분석하라. 이 훈련과정이 복잡할 필요는 없다. 가능한 단순하고 빠르게 훈련을 시행하는 것이 좋다.

7. 효과적으로 마음을 훈련할 수 있는 게임을 해보라. 이를테면 백거먼_{주사위를 던져 판 위에 있는 체커를 모두 제거하면 이기는 게임 – 역자 주}, 체스, 브릿지_{카드 게임의 일종 – 역자 주} 등이 그러한 게임이다. 상대방과의 대결 중 자신의 결정(체스를 둔다면 말을 어떻게 놓을지)을 전략화하라. 정기적으로 이러한 게임에 동참할 수 있는 사람들을 찾아보라. 논리·수학적 사고체계를 수립하면서 즐기기 바란다.

운동감각 훈련

우리는 터치, 만들기 작업, 그리고 여러 활동을 통해 운동감각적 사고를 한층 고양할 수 있다.

1. 공부할 때나 컴퓨터로 작업할 때, 책을 읽을 때나 TV를 볼 때, 의자 말고 다른 것 위에 앉아 보라. 예를 들어, 의자에 앉으면 당신의 몸은 수동적인 활동을 하지만, 피트니스볼 위에 앉으면 당신의 몸은 능동적인 활동을 하게 된다. 새로운 재미를 느껴보라. 별다른 제약이 없다면, 일할 때에도 피트니스볼 위에 앉아 보라. 식사 시간에 의자나 소파 대신

피트니스볼 위에 앉아도 좋다. 창조적으로 이 훈련을 하기 바란다.

2. **스트레칭을 자주 하라.** 산책도 좋고, 다양한 형태의 체조도 좋다. 지금 일어나서 해보라. 몸을 움직일 때, 당신은 실제로 무언가를 행하면서 긍정적인 행동 감각을 체험하게 된다.

3. **드라마, 연극, 역할극, 상황극 등을 하면서 즐겨 보라.** 가족 드라마를 만들어 온 가족을 참여시키고 시연해 보라. 오랜 시간 연습해야 하는 복잡한 연극을 할 필요는 없다. 절대, 복잡해선 안 된다. 이번 주부터 창조적으로 해보기 바란다.

4. **창조적인 몸동작, 춤, 스트레칭을 연습해 보라.** 이미 당신은 이러한 운동을 매일같이 하고 있을지도 모른다. 하지만 몸을 움직이는 훈련이 사고에 긍정적 효과를 준다는 사실은 생각해 본 적이 없을 것이다. 정기적으로 이런 훈련을 하고 있지 않다면, 이번 주에 한 번 시작해 보는 것이 어떻겠는가? 몸을 움직이면서 즐거움을 느껴 보라.

5. **촉각을 자극하는 간단한 놀이를 해보라.** 예를 들어, 플래시 카드를 만들어 게임을 하든지, 고무도장을 찍는 놀이를 하든지, 블록을 쌓으며 무언가를 만들어 보는 것이다. 창조적으로 이 활동을 해보기 바란다. 이 것은 촉각 위주의 활동이며, 에너지로 충만한 감각적 사고의 발로이기도 하다. 이러한 활동에는 운동기능의 통제 능력, 운동신경을 높이는 능력, 사물과 물체를 능숙하게 다루는 능력이 연관되어 있다. 이번 주에

몸을 움직이는 훈련을 통해 운동감각의 사고체계를 세워 보기 바란다.

　6. **당신의 집, 옷장, 사무실 공간을 재배치해 보라.** 공간이 당신의 시각에 어필하도록 변화를 꾀하라. 이 작업은 촉각 인식과 신체의 움직임을 통해 기억이 형성되도록 도와줄 것이다. 그러나 이 훈련을 너무 복잡하게 만들지 말라. 공간 재배치에 많은 시간을 할애할 필요는 없다. 간단하게 물건을 몇 가지 옮기는 것만으로도 족하다. 그것만으로도 공간 재배치에 따르는 감각 개선 효과를 충분히 얻을 수 있다

음악 훈련

　음악 훈련을 통해 당신은 예술적 창의력을 높일 수 있다. 그리고 리듬, 멜로디, 직관(음악적 감각)의 훈련을 통해 음악적 사고능력을 증진시킬 수 있다.

　1. **일하는 동안 당신이 좋아하는 음악을 틀어 놓으라.** 이미 그렇게 하고 있다면, 배경음악 장르를 바꿔 보라. 음악과 감정은 강력하게 연결되어 있다. 이것은 과학적으로도 입증되었다. 게다가 음악은 기억 형성에도 관여한다. 이번 주에 근무하는 동안 자신이 좋아하는 음악을 틀어 놓으라. 이것은 일상의 습관으로 정착시켜도 될 만큼 간단한 훈련이다.

　2. **시간을 정해 놓고 정기적으로 악기를 연주해 보라.** 창의력을 발휘하여 악기를 만들어 보는 것도 괜찮다. 실제 악기가 없다면, 냄비를 드

럼 삼아 즉흥적으로 연주해 보라. 그렇게 하고 싶지 않거든, 악기 배우기를 시작하라. 악기를 배우기에 적당한 나이는 없다. 결코 늦지 않았으니 언제든 시작하면 된다. 악기 연주를 통해 음악적 사고를 훈련하는 동안, 당신의 직관능력은 향상되고, 직관능력의 향상은 행간을 읽는 능력의 증진으로 이어진다. 당신의 음악적 사고는 의미를 깨닫도록 도움을 주고, 확신을 준다.

3. 음악에 맞춰 에어로빅 동작을 따라해 보거나 스트레칭을 해보라. 음악에 맞춰 걷는 것도 좋은 훈련이다. 단, 당신이 듣는 음악의 리듬을 따라야 한다. 음악의 빠르기와 멜로디에 집중하라. 이 훈련을 복잡하게 만들면 안 된다. 리듬에 따라 가볍게 몸을 흔드는 것만으로도 음악적 사고를 증진시키기에 충분하다.

4. 손가락을 튕겨 리듬을 만들고, 그 리듬에 맞춰 발을 굴러 보라. 이렇게 하기까지 몇 번의 시행착오를 거쳐야 할 수도 있지만, 이것은 매우 재미있는 훈련이다. 하다 보면 몸의 긴장도 풀리는 이 훈련은 오랜 시간을 들이지 않아도 되고, 복잡하게 생각할 필요도 없다. 다만 매일 일과 중 잠시 쉴 때, 꾸준히 연습하면 된다.

5. 일할 때, 노래를 부르거나 흥얼거려 보라. 아무도 들을 수 없게, 다른 사람에게 방해되지 않도록 속삭이면서 불러도 된다. 당신의 음악적 사고(음악적 감각)가 뛰어나든, 그렇지 않든 상관없다. 어쨌든 음악은 당신에게 도움을 줄 것이다. 특히 고전 음악(클래식)은 학교 교실이나 여타

의 학습 환경에 도움이 된다는 사실이 입증되었다.

6. **시를 읊거나 시의 구조에 대해 공부해 보라.** 시집 한 권을 골라 큰 소리로 읽거나 조그만 소리로 읊조리기를 즐겨 보라. 시를 낭독하는 동안 리듬을 타보라. 시의 구조를 연구해 보는 것도 좋다. 물론 이 훈련을 복잡하게 만들어서는 안 된다. 몇 시간이고 시를 낭독할 필요는 없다. 단지 즐기기만 하면 된다.

7. **사람들이 하는 말과 행동에 집중하여 행간을 읽어 보라.** 그리고 그들의 몸짓을 관찰하여 그들의 태도가 어떠한지 생각해 보라. 이 훈련은 다른 사람과 대화하는 동안, 언제든 할 수 있다. 그들의 표정을 살피라. 대화 중 그들이 물리적 거리를 얼마나 두는지 확인해 보라. 이처럼 그들이 사용하는 비언어적 의사소통 수단을 관찰하여 그들이 전달하려는 메시지를 해석해 보라. 이를 위해 사람들의 말을 듣는 동안 직관을 활용해야 할 것이다.

8. **다른 사람의 억양에 주목하라.** 대화하는 동안 상대의 음성의 높낮이 변화를 살펴, 이를 통해 그들이 전하려는 메시지가 무엇일지 추측해 보라. 자신의 억양의 변화도 살펴야 한다. 사람들과 대화할 때, 항상 이렇게 훈련하여 일상의 습관으로 정착시켜라.

시각 · 공간 훈련

어떤 사진이나 형상을 보면서 생각할 때, 상상력을 동원하여 학습한 내용을 시각화할 때, 우리의 시각·공간적 사고가 향상된다.

1. <u>만화책을 읽거나 스스로 만화책을 만들어 보기 바란다.</u> 창의력을 발휘하여 이 간단하고 재미있는 훈련을 시행해 보라! 시각·공간적 사고를 훈련하면, 언어만을 사용할 때 활성화되지 않았던 정신 영역의 활동이 활발해진다. 만화책을 읽고 만화책을 만들어 보는 일이 유치할 것 같지만, 어쩌면 당신이 정말 즐거워할 일일 수도 있다. 만화를 즐기는 동안 당신의 시각적 사고방식은 강화될 것이다.

2. <u>사무실, 교실, 집안 벽에 게시할 포스터를 만들어 보라.</u> 이것은 당신의 생각과 아이디어를 시각적으로 표현하는 데 도움이 된다. SNS에 사진을 올리거나 작은 종이에 그림을 그려도 좋다. 당신이 원한다면, 도화지의 크기를 늘려도 좋다. 다만, 이 훈련을 복잡하게 만들어서는 안 된다. 이 훈련의 핵심은 어떤 형태로든 자신의 생각을 시각화해 보는 것이다.

3. <u>생각하는 동안 종이에 그림을 그려 보거나 무언가를 끄적거려 보라.</u> 당신이 그린 그림이 형편없어도 좋고, 끄적거린 글에 아무 내용이 담기지 않아도 괜찮다. 훈련한다는 자체에 의의가 있으며, 단지 흥미를 느끼면 된다. 당신이 원하는 것을 자유롭게 그리고 끄적거려 보라.

4. <u>주변 사물들의 색깔을 구별하고 인식해 보라.</u> 동일한 색이라도 채도와 명암이 어떻게 다른지 설명해 보라. 동네 거리를 운전하는 동안,

일터에서 근무하는 동안, 학교에서 공부할 때나 산책할 때, 당신의 눈에 들어오는 사물들의 색깔을 주의하여 살펴보라.

 5. **기억을 시각화하는 연습이 필요하다.** 이것은 '다빈치' 훈련을 통해 연습하면 되는데, 훈련은 이렇게 진행된다. 먼저 복잡한 사물을 바라보고, 그 형상을 기억한다. 이후 눈을 감고 가능한 상세하게, 세부사항까지 되뇐다. 여러 차례 시행착오를 거쳐야 할 수도 있다. 그래도 포기하지 말라. 많은 시간을 할애할 필요는 없다. 일주일에 단 몇 분 정도만 시간을 내어 연습하면 된다.

 6. **인테리어 관련 잡지나 패션잡지를 보면서 사진에 실린 가구의 모양새, 집안의 실내 분위기, 사람들이 입고 있는 옷 등을 살펴라.** 어느 장소를 가든 그곳의 인테리어를 확인해 보라. 또 얼마나 많은 사람들이 얼마나 다양한 방법으로 옷을 입는지 관찰해 보라. 미용실이나 병원 대기석에 앉아 있는 동안 패션잡지나 인테리어 관련 잡지를 훑어보라. 간단하지만, 이것 역시 훈련이다. 당신의 일상에 습관으로 정착시켜라.

 7. **예술적인 사진을 찍어 보라.** 다른 사람에게 보여 주기 위한 사진이어도 좋고, 개인 소장용 사진이어도 좋다. 다양한 각도에서 평상시와 다른 앵글로 피사체를 카메라 렌즈에 담아 보라. 단순한 훈련이므로 절대 복잡하게 만들지 말라. 일상생활 중 1-2분 정도 시간을 내어 카메라를 들고 예술적인 관점으로 사진을 찍으면 된다. 그것이면 충분하다.

**THE
PERFECT
YOU**

● 옮긴이 ●

김난영
부산대학교 졸업 후 캐나다 NABC에서 수학하였다. 창원 민병철 어학원에서 영어 강사로 근무하다가 영수학원을 개원하여 20여 년간 운영하고 있다.

심현석
서강대학교 경제학과 졸업 후, 횃불 트리니티신학대학원에서 목회학 석사과정을 마쳤다. 전문 번역가로 활동하고 있으며, 주요 역서로《기독교의 유혹》,《시간 & 영원》,《거룩한 흐름, 분위기》,《하나님의 갈망》,《한계를 돌파하라》,《뇌의 스위치를 켜라》,《문지기들이여 일어나라》,《교회를 깨우는 한밤의 외침》외 다수가 있다.